A _____

Decifrar os códigos da inteligência nos faz entender

Que não somos deuses, mas seres humanos imperfeitos.

Decifrar os códigos do Eu como gestor do intelecto,

Da resiliência, do carisma, do altruísmo,

Da autocrítica, do debate de ideias, da intuição criativa,

Não é um dever, mas um direito de cada ser humano

Que busca ter uma mente brilhante e procura

A excelência emocional, social e profissional.

É um privilégio daqueles que compreendem que

Quando a sociedade nos abandona, a solidão é suportável.

Quando nós mesmos nos abandonamos, ela é intolerável.

_____ /_____ /_____

O Código da Inteligência

Augusto Cury

Copyright © 2010 por Augusto Cury

Todos os direitos reservados. Nenhuma parte deste livro pode ser utilizada ou reproduzida sob quaisquer meios existentes sem autorização por escrito dos editores.

revisão: Alice Dias e Flávia Midori
projeto gráfico e diagramação: Valéria Teixeira
capa: Raul Fernandes
imagem de capa: Lim Hyeonsu/TongRo Images/Corbis/Latinstock
impressão e acabamento: Lis Gráfica e Editora Ltda.

CIP-BRASIL. CATALOGAÇÃO NA PUBLICAÇÃO
SINDICATO NACIONAL DOS EDITORES DE LIVROS, RJ

C988c Cury, Augusto, 1958-

O código da inteligência / Augusto Cury;
Rio de Janeiro: Sextante, 2015.
256 p.; 16 x 23 cm

ISBN 978-85-431-0175-0

1. Autoconsciência. 2. Autodomínio.
3. Autorrealização (Psicologia). I. Título.

CDD 158.1
14-18392   CDU 159.95

Todos os direitos reservados, no Brasil, por
GMT Editores Ltda.
Rua Voluntários da Pátria, 45 – 14.º andar – Botafogo
22270-000 – Rio de Janeiro – RJ
Tel.: (21) 2538-4100
E-mail: atendimento@sextante.com.br
www.sextante.com.br

Como pesquisador da inteligência, não me curvaria diante de nenhuma autoridade política nem de nenhuma celebridade, mas me curvaria diante de todos os professores e alunos do mundo. São eles que podem mudar o teatro social. São atores insubstituíveis. Dedico humildemente *O código da inteligência* a cada um deles...

Augusto Cury

Sumário

Prefácio — 9

Introdução Treinando o intelecto para decifrar os
códigos da inteligência — 11

Primeira Parte – Inteligência Multifocal

Capítulo 1 A definição da inteligência: o *Homo sapiens*, um
ser além dos limites da lógica — 16

Capítulo 2 Em que escola se ensina a decifrar os códigos? — 24

Capítulo 3 Não há mágica para decifrar o código — 29

Capítulo 4 Os códigos são universais — 34

Capítulo 5 Os códigos que Einstein não decifrou — 39

Segunda Parte – As quatro armadilhas da mente

Capítulo 6 Primeira armadilha da mente humana: *o conformismo* — 44

Capítulo 7 Segunda armadilha da mente humana: *o coitadismo* — 50

Capítulo 8 Terceira armadilha da mente humana: *o medo de
reconhecer os erros* — 56

Capítulo 9 Quarta armadilha da mente humana: *o medo
de correr riscos* — 63

Terceira Parte — Os códigos da inteligência

Capítulo 10 Primeiro código da inteligência: *código do Eu
como gestor do intelecto* — 70

Capítulo 11	Segundo código da inteligência: *código da autocrítica – pensar nas consequências dos comportamentos*	107
Capítulo 12	Terceiro código da inteligência: *código da psicoadaptação ou da resiliência – capacidade de sobreviver às intempéries da existência*	118
Capítulo 13	Quarto código da inteligência: *código do altruísmo – capacidade de se colocar no lugar dos outros*	134
Capítulo 14	Quinto código da inteligência: *código do debate de ideias*	149
Capítulo 15	Sexto código da inteligência: *código do carisma*	160
Capítulo 16	Sétimo código da inteligência: *código da intuição criativa*	171
Capítulo 17	Oitavo código da inteligência: *código do Eu como gestor da emoção*	201
Capítulo 18	Nono código da inteligência: *código do prazer de viver*	216

Conclusão

Capítulo 19	Os profissionais que decifraram os códigos: as diferenças entre bons e excelentes profissionais	232
Capítulo 20	Vendendo os sonhos em uma sociedade que deixou de sonhar	242
Referências bibliográficas		251

Prefácio

O código da inteligência é um livro que descreve de maneira instigante e simplificada o complexo processo de formação de pensadores.

Que códigos foram decifrados e fizeram algumas pessoas sair do rol das comuns e as levaram a expandir o mundo da matemática, da física, da filosofia, da espiritualidade, da política e das relações sociais? Que códigos foram decifrados e ajudaram profissionais a se destacar no teatro empresarial? Que códigos foram desenvolvidos e tornaram seres humanos criativos, solidários, generosos, cativantes e saturados de prazer?

Alguns estudantes decifram determinados códigos da inteligência que os transformam em empreendedores, debatedores de ideias e construtores de conhecimento. Outros, embora tirem excelentes notas na escola, não os decifram e tornam-se meros repetidores de ideias.

Decifrar esses códigos é fundamental para conquistarmos saúde psíquica, relações pessoais, criatividade, eficiência profissional e prazer de viver. Infelizmente, as escolas e as universidades não levam seus alunos a desvendá-los e colocá-los em prática.

Neste livro, Augusto Cury – psiquiatra, pesquisador de psicologia e autor de uma importante teoria sobre o funcionamento da mente – desvenda os códigos da inteligência sob enfoques psicológico, filosófico, psicopedagógico e sociológico.

O autor indaga "Em que espaço se ensina a decifrar o código do filtro dos estímulos estressantes? Onde se educa a capacidade do eu como gestor psíquico? Em que instituição se aprende o código da resiliência para superar adversidades? E o código do altruísmo e da intuição criativa, onde são decifrados?" E ainda afirma: "Somos uma sociedade doente que tem formado pessoas doentes."

Augusto Cury também discorre sobre as quatro armadilhas da mente humana que bloqueiam a inteligência, asfixiam a emoção e abortam a execução dos projetos de vida. Além disso, aborda os hábitos dos bons profissionais e os compara com os hábitos dos profissionais excelentes que sabem decifrar os códigos da inteligência.

Ao longo do texto, são destacados vários pensamentos garimpados de alguns dos mais de vinte livros do autor. Esperamos que você decifre e aplique os códigos da inteligência em todos os espaços sociais da sua vida. Boa leitura.

Os editores

Introdução

Treinando o intelecto para decifrar os códigos da inteligência

Tito, o general romano encarregado de construir o Coliseu, sentia orgulho porque seu exército era o único que se preparava para a guerra em tempos de paz e treinava seus soldados durante o ano inteiro. Era o mais eficiente. Com ele, Tito devastou Jerusalém no ano de 70 d.C., causando atrocidades inimagináveis, levando dezenas de milhares de cativos a Roma. Em meio às lágrimas e ao sangue dos cativos, o grande general construiu monumentos que até hoje estão de pé.

O treinamento antes exigido pelos exércitos e por algumas poucas áreas da sociedade hoje permeia todos os setores. Estamos na era do treinamento. Treina-se para praticar esportes, andar, dançar, calcular, escrever, contar histórias, encenar uma peça. Treina-se para dirigir veículos, pilotar aviões, operar máquinas. Treina-se para falar em público, usar computadores, elaborar programas, administrar empresas, executar projetos. Treina-se para tomar vinho, apreciar uma obra de arte, observar a qualidade dos produtos.

Tudo parecia perfeito na era do treinamento, mas, ao olhar para as mazelas psíquicas e sociais do mundo moderno, constatamos que cometemos um erro gravíssimo. Esquecemos de realizar o mais importante treinamento: decifrar e aplicar os códigos da inteligência. Sem eles não podemos desenvolver nosso imaginário, nossa capacidade de superação e nossas potencialidades intelectuais.

Memória superutilizada e códigos da inteligência subutilizados

Deveríamos decifrar esses códigos com a mesma energia que o garimpeiro penetra nas rochas à procura do ouro, com o mesmo afinco que o cirurgião corta a pele para desnudar tecidos ocultos, com a mesma garra que o sedento procura água para saciar sua sede nos tépidos desertos.

O senso comum acredita que a memória é subutilizada. Uns creem que usam apenas 10% dela, outros, 20% e ainda outros acreditam usar um pouco mais da memória. Mas esse pensamento popular é ingênuo, simplista e, portanto, precisa ser corrigido. A memória é seletiva. Além disso, abre e fecha dependendo da emoção que vivenciamos em determinado momento.

As emoções tensas, fóbicas e apreensivas fecham as janelas da memória; as emoções prazerosas, desafiadoras e serenas as abrem. Apesar de as emoções serenas abrirem as janelas, a memória ainda assim é seletiva, pois não expõe todos os seus arquivos.

Já pensou se não fosse assim? Qualquer palavra como "carro", "avião", "amigo", "inimigo" ou "medo" nos levaria a acessar milhões de dados que temos arquivados relativos a ela, saturando nosso intelecto. Nosso córtex cerebral não suportaria tantas informações. Notem que quando temos preocupações fixas, pensando obsessivamente em determinado assunto, ficamos desgastados, acordamos fatigados, sem energia.

A seletividade da memória objetiva protege nossa mente contra o congestionamento de pensamentos, imagens mentais e ideias. Apesar disso, se observarmos nossa mente, perceberemos que utilizamos a memória em excesso, por isso pensamos demais e nos desgastamos em demasia, gerando a síndrome do pensamento acelerado (SPA) (Cury, 2004).

Emoções flutuantes, pensamentos antecipatórios e muitos compromissos fazem parte do cardápio de um ser hiperpensante. Se as pessoas usassem a memória de forma mais racional, desgastariam menos seu cérebro, acordariam mais bem-dispostas, elogiariam mais o dia que desabrocha e criariam mais oportunidades para conquistar quem amam a fim de ter gestos únicos, reações inesperadas, atitudes deslumbrantes.

A memória, que já é seletiva, pode ser ainda mais bloqueada pelo estresse intenso, o qual, por sua vez, bloqueia o código da intuição criativa, fazendo o *Homo bios*, o instinto, prevalecer sobre o *Homo sapiens*, a capacidade de pensar.

O estresse pode fechar as janelas da memória durante provas de concursos, entrevistas de emprego, apresentações públicas, situações novas ou desafios empresariais, gerando péssimos desempenhos intelectuais em pessoas brilhantes.

Excetuando mecanismos como esses, que nos fazem subutilizar a memória, o que está subutilizado em todo e qualquer ser humano são os códigos da inteligência. Ricos e miseráveis, psiquiatras e pacientes, líderes e liderados, têm um potencial psíquico global contraído por não decifrar plenamente os códigos da inteligência.

A complexa definição da inteligência: três camadas psíquicas

Antes de começar a comentar sobre os códigos da inteligência precisamos definir o que é inteligência. Ao longo de mais de vinte anos desenvolvi uma das poucas teorias sobre o funcionamento da mente, a construção de pensamentos e o processo de formação de pensadores, chamada de Inteligência Multifocal ou Psicologia Multifocal.

A Psicologia Multifocal não é uma teoria neurocientífica, e sim psicológica, e que entra nos campos da pedagogia, da sociologia, da filosofia. A inteligência para essa teoria tem definição complexa e difere de outras ideias em diversos aspectos, pois penetra em áreas que outros autores não tiveram oportunidade de estudar, como os fenômenos que atuam na construção das cadeias de pensamentos, imagens mentais e ideias.

A Psicologia Multifocal tem sido usada por inúmeros profissionais de saúde mental e em pesquisas, dissertações de mestrado, teses de doutorado e cursos de pós-graduação. Apesar da difusão dessas ideias, quero deixar claro que nenhuma teoria é verdadeira em si: trata-se de um corpo de postulados, hipóteses, conceitos e argumentos do qual se deriva o conhecimento.

PRIMEIRA PARTE
Inteligência Multifocal

Como pesquisei não apenas o processo de construção de pensamentos, mas também a natureza dos pensamentos e os limites da interpretação, me convenci de que a verdade é um fim inatingível. Toda teoria deve ser avaliada, analisada, testada, refletida. Convido o leitor a debater as ideias, exercer sua autocrítica – que são dois dos códigos da inteligência – e tirar suas próprias conclusões.

Capítulo 1

A definição da inteligência: o *Homo sapiens*, um ser além dos limites da lógica

As três grandes áreas que definem a inteligência

Para a Psicologia Multifocal, a definição de inteligência é abrangente e, como o próprio nome diz, é multifocal, multidinâmica, multifatorial, enfim, possui múltiplas áreas que participam da sua formação. Alguns autores também sugeriram que a inteligência é multidimensional e modificável (Feurstein, 1980).

Quando se sofre uma grave frustração, como uma humilhação pública, o que definirá o grau da dor e a dimensão do conflito resultante não será apenas um foco, definido pela natureza da situação. Dependerá de múltiplos fatores: quem causou a humilhação (o agente), a natureza da ofensa, o ambiente social em que ela ocorreu, o tipo de personalidade do receptor, seu estado emocional no momento da ofensa, as habilidades psíquicas específicas (códigos da inteligência) que desenvolveu, como sua capacidade de gerenciar os pensamentos e proteger a emoção, assim como sua capacidade de se adaptar, minimizar e reciclar o estímulo estressante. Portanto, a inteligência é multifocal.

Quatro grandes fenômenos

O conceito global de inteligência multifocal entra em três grandes estágios ou três grandes áreas. As duas primeiras são inconscientes e a última, consciente.

A primeira área é a mais profunda, refere-se aos fenômenos inconscientes que atuam em milésimos de segundos no resgate e na organização das informações da memória e, consequentemente, na construção de pensamentos e emoções. São eles: o Autofluxo, o Gatilho da memória, a Janela da memória e o Eu. Vamos estudá-los mais adiante.

Como entramos no córtex cerebral e resgatamos da memória os tijolos ou dados que geram as cadeias de pensamento? Temos trilhões de tijolos armazenados (informações, experiências, verbos, adjetivos, substantivos). Como acertamos o alvo de cada verbo e o conjugamos sem saber sua localização no córtex e sem ter pensado nele previamente? Que habilidade é essa? Viajamos quase na velocidade da luz e sem plano de voo, bússola ou mapa no imenso planeta da memória, fazemos inúmeras paradas nos "aeroportos" e resgatamos os passageiros (informações) que irão compor os pensamentos, as ideias, as imagens mentais e as fantasias. Somos mais complexos do que imaginamos. Sob essa ótica, tanto os pensamentos lúcidos quanto os estúpidos têm uma fantástica complexidade construtiva.

Uma vez gerados, os pensamentos retornam para a memória e são registrados pelo fenômeno RAM (registro automático da memória), construindo a plataforma que gera o Eu – a expressão máxima da consciência crítica e da capacidade de escolha. Tudo o que percebemos, sentimos, pensamos e experimentamos se transforma em tijolos na construção dessa plataforma de formação do Eu.

O ser humano com baixa autoestima que se considera um fracassado comete um "crime" contra sua própria inteligência. Toda pessoa que se diminui perante outras, sejam elas celebridades ou líderes sociais, nunca conheceu sua própria complexidade. Desconhece que possui uma indecifrável habilidade de construir pensamentos, ainda que sejam aparentemente banais.

As variáveis "selecionam" os passageiros

A segunda área da teoria multifocal da inteligência se refere ao corpo das complexas variáveis que influenciam os fenômenos que leem a memória e produzem os pensamentos. Usando a metáfora do aeroporto, essas variáveis atuam quando esses fenômenos aterrissam no córtex cerebral, interferindo na seleção dos passageiros. Quantas vezes ficamos chateados por não ter dado a resposta certa no momento certo para certa pessoa? Retomando o exemplo da humilhação social, entre essas variáveis destaco "como estou" (estado emocional e motivacional), "quem sou" (a história existencial arquivada nas janelas da memória), "onde estou" (ambiente social), "quem sou geneticamente" (natureza genética e matriz metabólica cerebral) e "como atuo como gestor da psique" (o Eu como o roteirista de nossa história). Uma simples mudança no estado emocional interfere na resposta. Um simples aprendizado em gerir pensamentos altera a reação.

Normalmente, as teorias enfatizam os aspectos psíquicos, sociais e genéticos na construção da inteligência. Alguns pensadores se fixaram na interação entre as duas grandes forças geradoras do desenvolvimento, em geral, e da inteligência, em particular: a natureza e a cultura. Mas o que ocorre é um caldeirão de variáveis multifocais, entrelaçando genética, cultura, ambiente social, estado emocional e motivacional e habilidades particulares, aqui chamadas de *Códigos da Inteligência*. "Não é uma competição, é uma dança" (Sternberg, 1990). De fato, em nossas mentes há uma dança dinâmica de variáveis que interferem na construção da criatividade e da rigidez intelectual, do ódio e do amor, da poesia e do drama, das ideias geniais e dos pensamentos prosaicos. Os códigos da inteligência são tão importantes quanto aprender a comer, andar e respirar, mas raramente entram no cardápio da educação global.

Alguns pensadores da psicologia do passado acreditavam que somente quem teve uma infância com traumas, saturada de perdas e frustrações adoeceria ou desenvolveria transtornos psíquicos e psicossomáticos. Ledo engano! Sabemos hoje que mesmo os que gozaram de uma infância feliz e sem traumas, que tiveram o privilégio de ter pais amorosos, generosos, solidários, podem ter uma vida psíquica miserável na adolescência e na vida adulta se não aprenderem a decifrar alguns códigos fundamentais ao longo do processo de formação da personalidade.

Poderão ser vítimas de acidentes existenciais, estresses sociais, rupturas nas relações afetivas, perdas, competição predatória, crises financeiras, preocupações excessivas; enfim, de uma série de variáveis que dilapidam seu patrimônio psíquico e roubam, em especial, seu prazer de viver.

Acreditamos ingenuamente que temos pleno domínio do processo de construção intelectual. Não é verdade. Podemos dominar computadores, carros, aviões, mas não dominamos completamente a mais incompreensível das máquinas: a mente humana. A produção de pensamentos não é apenas hipercomplexa, mas incontrolável em sua plenitude pelo "Eu". Quantos pensamentos inquietantes perturbam nossa tranquilidade sem que os tenhamos produzido de forma consciente? Quantas ideias fóbicas transitam pelo palco psíquico sem que tenhamos permitido que fossem construídas?

O Eu como gestor psíquico, administrador do intelecto, é apenas um dos códigos da inteligência. Se mesmo sendo bons gestores psíquicos não dominamos completamente os pensamentos e as emoções, imagine se não decifrarmos esse código, se abrirmos mão dessa gestão que ocorre na segunda grande área da inteligência.

Nesse caso, se usarmos um veículo como uma analogia da mente humana, podemos dizer que estamos amordaçados no banco de passageiro como espectadores passivos de uma viagem que não programamos. Aliás, diariamente, milhões de pessoas viajam em suas mentes no território das fobias, das preocupações doentias, da ansiedade, sem ter programado essa jornada. Entraram em um filme de terror a que não queriam assistir. O problema é que o filme roda na sua mente. Não há tecla para desligar o aparelho mental.

Ao estudarmos a primeira e a segunda grande área da inteligência podemos concluir que o *Homo sapiens*, capaz de desenvolver equações matemáticas, fórmulas físicas e programas de computador lógicos, pode ser tão ilógico a ponto de produzir reações agressivas, desproporcionais, irracionais.

Peritos em lidar com números podem perder sua lógica e reagir estupidamente à mínima contrariedade. Médicos aparentemente equilibrados diante de seus pacientes, podem reagir sem qualquer controle ao serem questionados por seus pares. Na realidade, o *Homo sapiens*, seja ele psiquiatra ou paciente, matemático ou aluno, é micro ou macro de acordo com cada momento existencial. Ninguém é plenamente estável e coerente. O nível de flutuação apenas determina o grau de nossas doenças.

A área perceptível

A terceira grande área da inteligência se refere aos resultados das duas primeiras. Nesta encontram-se os comportamentos perceptíveis, capazes de ser analisados, avaliados, aferidos. É onde se evidencia a rapidez de raciocínio, o grau de memorização, a capacidade de assimilação de informações, o grau de maturidade nos focos de tensão, bem como os níveis de tolerância, inclusão, solidariedade, generosidade, altruísmo, segurança, timidez e empreendedorismo.

É na terceira área da inteligência, segundo o conceito da Psicologia Multifocal, que são feitos os mais variados testes para se medir os diversos tipos de quocientes de inteligência. Entretanto, todos eles são circunstanciais, parciais e incompletos. Nenhum é definitivo. Habilidades detectadas em uns não o são em outros. Capacidades aferidas em um momento, se mudamos as variáveis (como estou, onde estou, níveis de gestão psíquica), não são encontradas em outros.

Não vou entrar em muitos detalhes teóricos e científicos sobre as áreas nesta obra, mas gostaria de dizer que os códigos da inteligência envolvem essas três áreas. Decifrá-los e aplicá-los são processos conscientes, mas, ao fazer esse exercício, atingiremos as regiões inconscientes, as camadas mais profundas da inteligência humana, ainda que não as percebamos.

Destacarei os nove códigos da inteligência mais relevantes.

Gosto muito de escrever livros de ficção. Mas vários dos meus livros são de não ficção. Com isso, procuro democratizar o conhecimento sobre o funcionamento da mente extraído da teoria que desenvolvi. Meu objetivo é disponibilizar ferramentas para estimular o debate de ideias, para que os leitores aprendam a atuar em seu psiquismo, a desenvolver consciência crítica, a proteger sua emoção, a se tornar gestores da sua mente, a expandir seu potencial intelectual e a prevenir transtornos psíquicos.

Musculatura intelectual e emocional

Sem decifrar os códigos da inteligência, não teremos musculatura emocional para irrigar o desenvolvimento da serenidade, do altruísmo, da coerência, da ousadia e da criatividade. Aqueles que expandem sua saúde psíquica, que refinam seu prazer de viver e libertam seu imaginário criativo, não fazem da memória um depósito infindável de informações, mas se submetem aos mais disciplinados treinamentos intelectuais para decifrar os códigos da inteligência, ainda que o façam intuitivamente.

Eis o grande e inaceitável paradoxo: o Homo sapiens, *ao longo da história, aprendeu a decifrar sua inteligência para atuar no teatro social, mas não aprendeu a decifrá-la para atuar no teatro psíquico, dirigir sua peça intelectual. Somos tímidos espectadores onde deveríamos ser ágeis atores.*

Diariamente, inúmeras pessoas, ricas ou miseráveis, são vítimas de agressivos sequestros. Os sequestradores estão alojados dentro delas mesmas. Vivem sequestradas pelas imagens mentais deprimentes e pelos pensamentos mórbidos confeccionados em seu psiquismo. É raro encontrar um ser humano verdadeiramente livre. Ainda não encontrei nenhum.

Somos inertes, calados e silenciados no único lugar em que deveríamos gritar e nos rebelar. Distribuímos um sorriso social que nem sempre espelha nosso clima emocional.

Exemplos imaginários, mas tão reais...

Imagine um promotor austero e coerente no fórum, mas frágil e ilógico em sua psique. Demora horas ou dias para tomar decisões que qualquer um levaria minutos, como comprar uma roupa, visitar um amigo, fazer uma viagem. Angustia-se e pune-se porque não consegue decidir coisas básicas. Não aprendeu a decifrar, entre outros códigos, o da autocrítica.

Imagine uma enfermeira tratando seus pacientes em fase terminal com o maior carinho, mas cuidando mal de si mesma. Pensa todos os dias que está à beira da morte, só que sua doença é imaginária, só existe em sua cabeça. Faz assepsia dos curativos com dedicação e irriga seus pacientes com esperança, mas não dá migalhas de esperança para si mesma. Não aprendeu a fazer assepsia da sua mente, a decifrar o código da higiene psíquica.

Imagine um estudante aplicado e participativo em sala de aula, mas que, diante de uma prova, embota seu raciocínio. Sabe toda a matéria, mas parece que não estudou nada. As janelas da sua memória se fecham, pois o ato de fazer a prova se tornou um ato de terror, que trava sua inteligência. Não aprendeu a decifrar o código da proteção da emoção.

Situações como essas estão mais próximas de nós do que imaginamos. As pessoas que descrevi são especiais em determinadas áreas, mas falham muito em outras; não entendem que seus maiores inimigos estão em sua mente, e não no teatro social. Podemos conviver com pessoas injustas, mas ninguém pode ser mais injusto conosco do que nós mesmos.

Deveríamos lutar contra nossas mazelas psíquicas, mas ficamos intimidados dentro de nós. E fora de nós, onde deveríamos agir com tolerância, acabamos por nos tornar combativos, machucando a quem não merece. Ao vivermos em uma sociedade superficial que não calibra nosso foco, erramos o alvo frequentemente.

Capítulo 2

Em que escola se ensina a decifrar os códigos?

Em que espaço social, em que família ou empresa, se aprende a treinar a filtragem de estímulos estressantes – um excelente código da inteligência? Esse lamentável erro educacional, sociológico, pedagógico e psicológico tem gerado consequências gravíssimas.

As pessoas nem sabem que devem desenvolver um filtro psíquico, nem ao menos têm consciência de que devem se proteger para sobreviver. Por isso as perdas, os percalços sociais, as contrariedades invadem sua psique com grande facilidade.

Muitos usam protetor solar e óculos escuros para se proteger contra raios ultravioletas, mas não usam protetores para filtrar o lixo psíquico mais nocivo a que se expõem. Não é esse um paradoxo absurdo e inadmissível? Temos de nos questionar: já gastamos tempo construindo esse filtro psíquico? Se não, provavelmente gastaremos dinheiro com tratamentos.

Em que escola se treina para decifrar o código do Eu como gestor psíquico? Entristece-me, como pesquisador do funcionamento da mente, saber que temos centenas de milhares de escolas no mundo, mas nenhuma estrutura o Eu para ser líder da psique. Essa situação é tão absurda quanto desejar que os jovens dirijam um teatro, mas os coloque como meros espectadores na plateia; ou que pilotem um avião, mas os coloque como passageiros, e não na cabine de comando.

Grande parte das pessoas não sabe sequer que tem um Eu e muito menos que este deve exercer um controle de qualidade sobre seus pensamentos. Todo mundo sabe que devemos exercê-lo em produtos e serviços, mas ninguém o exerce em ideias, imagens mentais e fantasias.

O sucesso é mais difícil de ser trabalhado do que o fracasso. O risco do sucesso é enterrar nossos sonhos e nos tornar uma máquina de trabalhar.
A. Cury, em *O vendedor de sonhos*

O sistema educacional, como já apontei diversas vezes, tem como objetivo preparar os alunos para o mercado de trabalho, e não para a vida, mas no fundo não prepara nem para um nem para outro, pois uma pessoa doente exercerá de forma doentia suas atividades profissionais.

O sistema educacional estressa tanto os mestres quanto os alunos ao pautar sua retórica na transmissão de informações, e não na capacidade de intuir, criar, filtrar estímulos estressantes e gerenciar pensamentos.

Em que universidade se ensina a pensar antes de reagir?

Ao longo desses anos exercendo a psiquiatria e a psicoterapia, e treinando diversos psicólogos, percebi que muitos bons profissionais da minha área não decifraram os códigos da inteligência. Esse é um dos motivos pelo qual psiquiatras, médicos de outras especialidades e psicólogos estão mais predispostos a apresentar transtornos psíquicos. São excelentes para cuidar dos outros, mas se esquecem de cuidar de si mesmos; são dedicados para aliviar a dor dos outros, mas deixam de investir em seus projetos pessoais.

Em que universidade se treina sistematicamente os alunos para decifrar o código da capacidade de pensar antes de reagir? Universitários judeus, palestinos, europeus, chineses, americanos saem com milhões de informações em seu intelecto. Muitos deciframam a linguagem da razão, mas poucos a da sensibilidade e do carisma. Muitos deciframam a linguagem do individualismo, mas poucos a do altruísmo, por isso não entendem que os fortes usam as ideias e os fracos, as armas. Os fracos impõem suas verdades; os fortes as submetem ao debate. Os fracos segregam-se em seus feudos; os fortes lutam pela espécie humana.

Os sonhos não determinam o lugar em que você vai estar, mas produzem a força necessária para tirá-lo do lugar em que está.
A. Cury, em Nunca desista dos seus sonhos

Por não trabalharem a verdadeira força, algumas pessoas recuam diante das perdas; outras, ao contrário, reagem agressivamente a elas. Não exercitam sua capacidade de pensar antes de reagir, não elaboram suas respostas nos focos de tensão.

Quantos seres humanos estão no ápice do desespero nesse exato momento, inclusive pensando em acabar com suas vidas porque não aprenderam a confrontar, a discordar e a reciclar os pensamentos pessimistas? Como é possível sobreviver sem decifrar esse código? *A mente pensa tolices, a emoção dá crédito a elas e o Eu ingênuo, que não sabe descaracterizá-las e filtrá-las, paga a conta. A vida tão bela e singela torna-se, assim, uma fonte de ansiedade.*

Relações falidas sem decifrar os códigos

Pais e professores que não treinaram a mente para ler as letras do alfabeto da gestão da psique e da arte de pensar antes de reagir terão reações desproporcionais diante de desapontamentos causados por filhos ou alunos. Controlarão, bloquearão, tolherão, mas não educarão. Amantes se machucarão mutuamente por comportamentos inadequados. Colegas de trabalhos terão ciúmes dos pares que se destacaram.

Quantos seres humanos socialmente invejados, como executivos, médicos e jornalistas, no silêncio de suas casas ou escritórios, não ferem quem mais amam? São calmos quando as pessoas próximas lhes dão retorno, mas explosivos quando não correspondem às suas expectativas. Será que nos recolhemos no templo da paciência diante daqueles que nos decepcionam?

Alguns dizem coisas como: "Eu sou sincero. Sou honesto, falo o que penso." Na realidade, seu excesso de honestidade é um reflexo da incapacidade de decifrar o código do autocontrole. São servos de seus impulsos. Há pessoas insuspeitas que lesam seriamente o direito dos outros.

Em que instituição religiosa e social se treina para decifrar o código do altruísmo e o código da capacidade de se colocar no lugar do outro? Enxergar os outros com nossos olhos é uma tarefa simples, não exige treinamento. Mas enxergá-los com os olhos deles mesmos requer refinado treinamento.

Que você seja um vendedor de sonhos.
Ao fazer os outros sonharem, não tenha medo
de falhar. E, se falhar, não tenha medo de
chorar. E, se chorar, repense a sua vida, mas
não desista: dê sempre uma nova chance
para si mesmo e para quem ama.
A. Cury, em O vendedor de sonhos

Sem decifrar esses códigos, ainda que sejamos profissionais de saúde mental, jamais entenderemos as lágrimas que não foram choradas, as dores que não foram expressas, os conflitos que não foram verbalizados. Tudo o que falarmos do outro será um espelho do que somos, e não do que *eles* são. Não respeitaremos as divergências. Não entenderemos que exigir que as pessoas sintam e pensem como nós é uma exigência insana e desumana. É não compreender que as diferenças são decorrentes de nossa complexidade psíquica e que nenhuma delas nos exclui da fascinante família humana.

Líderes políticos e religiosos, se não decifrarem o código de se colocar no lugar dos que o confrontam, cometerão canibalismo psíquico. Bloquearão, silenciarão, excluirão.

Creiam, o canibalismo não foi extinto na atualidade, apenas assumiu outras formas. Alguns anulam seus pares em nome dos seus dogmas, outros em nome da nação, da religião, da ideologia, da raça, da teoria "científica".

Não somos um número de cartão de crédito, uma conta bancária, mas seres humanos únicos. Apesar dos nossos defeitos, somos estrelas vivas no teatro da existência.
A. CURY, em *Você é insubstituível*

Capítulo 3

Não há mágica para decifrar o código

Se alguém quiser ter saúde psíquica e expandir os horizontes da sua inteligência, não há atalhos, não há mágica. Deve decifrar o código da inteligência, conhecer o funcionamento básico da mente humana e fazer exercícios, estágio intelectual, educação continuada.

A mente humana é um terreno inóspito, sinuoso e cheio de segredos, um fenômeno tão concreto e ao mesmo tempo tão impalpável, um espaço infinito e ao mesmo tempo tão pequeno que cabe dentro de um cérebro. Um terreno que reis, políticos e intelectuais falharam em conquistar.

Se não tivermos um sucesso mínimo nessa empreitada, como vamos atuar eficientemente no processo de construção dos pensamentos castradores e aterradores? Como vamos ser gestores da mais importante das empresas, a psique, a única que não pode falir?

Muitos não sabem que os sintomas psicossomáticos, como dores de cabeça, gastrite, nó na garganta, fadiga excessiva, são sintomas de insolvência da sua empresa psíquica, sinais graves de que estão endividados, quase falidos. Mas quem se preocupa de verdade com a contabilidade da qualidade de vida? Somos lentos para agir, frágeis para mudar nosso estilo de vida.

Houve um empresário, por exemplo, que se tornou riquíssimo, começou com uma loja, passou para duas, três. Dez anos depois era dono de uma invejável cadeia de lojas de roupas. Sabia vestir milhares de pessoas, mas nunca aprendeu a vestir sua psique para protegê-la e encantá-la. Tinha milhões no banco, mas sua mente era pobre, com ideias pessimistas e emoção irritadiça; seu corpo estava em um real estado de falência. Só descobriu isso depois de um grave infarto que quase o levou a ser vestido por um caixão de madeira.

Há um mundo a ser descoberto dentro de cada ser humano.
Há um tesouro escondido nos escombros das pessoas
que sofrem. Só os sensíveis e sábios os descobrem.
A. Cury, em O futuro da humanidade

Não se engane! A tarefa de explorar e investir em sua saúde psíquica é exclusivamente sua. Nem os mais excelentes psicoterapeutas ou psiquiatras poderão realizá-la por você. No máximo, serão facilitadores do processo, o que também é objetivo deste livro.

Mas como explorar o mundo intangível da mente humana? Como penetrar nos seus espaços insondáveis? Como prevenir transtornos psíquicos? Como expandir os horizontes do intelecto e as fronteiras da emoção? Através do desenvolvimento das funções mais importantes da inteligência.

Os códigos de uma emoção e um intelecto brilhante, extraordinário, intuitivo e criativo não estão na carga genética – embora sejam um dos fenômenos a considerar – nem na genialidade ou nos poderes particulares de uma casta de privilegiados, mas no treinamento intelectual.

O exercício imprescindível

Um ourives precisa das ferramentas certas para ferir o diamante e dar forma à joia. Um biólogo precisa de ferramentas apropriadas para invadir o "invisível" mundo intracelular. Um astrônomo precisa de equipamentos adequados para vislumbrar fenômenos a anos-luz de distância da Terra. Do mesmo modo, um ser humano que almeja percorrer as avenidas do mundo escuro, tão belo e tão ameaçador, tão concreto e tão impalpável, que o constitui como ser pensante, precisa também das ferramentas certas.

Existem ferramentas ou códigos universais? Devido à diversidade cultural, genética e religiosa, é questionável uma teoria psicológica que fale em ferramentas ou códigos universais para explorar a mente humana, pois o que serve para um europeu não serve para um indiano, o que serve para um americano não é útil para um africano.

> Nenhum pensamento é verdadeiro, mas uma interpretação da realidade. No ato de interpretação, o estado emocional (como estamos), social (onde estamos), de personalidade (quem somos) e de metabolismo cerebral (genética) entram em cena causando micro ou macrodistorções. Por isso, a verdade é um fim inatingível.
> A. Cury, em *Inteligência multifocal*

Entretanto, depois de mais de duas décadas analisando sistematicamente o funcionamento da mente, estou convicto de que de fato existem no psiquismo humano ferramentas ou códigos intelectuais que transcendem a cultura, a religião ou o sexo. Descobri-las e utilizá-las, metodológica ou intuitivamente, pode determinar aonde uma pessoa vai chegar em seus círculos sociais, profissionais e afetivos.

Eles são capazes de propiciar tranquilidade nas tormentas, transformar uma pessoa tímida em intrépida, impulsiva em ponderada, individualista em altruísta, alienada em interativa.

Sem utilizá-los, ricos serão miseráveis, índios criarão fantasmas, intelectuais serão meninos agitados pelos ventos do estresse, psicoterapeutas reduzirão a complexidade dos seus pacientes e os aprisionarão nas estreitas fronteiras dos seus diagnósticos.

Ninguém é 100% lógico

Por mais que possamos procurar a racionalidade, a coerência e a serenidade, nenhum ser humano é 100% lógico. E, se porventura alguém conseguir ser 100% lógico e racional, aconselha-se fugir dele, pois será um carrasco, uma máquina de reagir e julgar rígida. Estará preparado para se relacionar com robôs, mas não com os imprevisíveis e contraditórios seres humanos.

Só os computadores são completamente matemáticos. Nem é desejável ser como eles. Por quê? Porque não apenas a irritabilidade, o egoísmo e a arrogância são frutos da emoção, mas também o amor, a compaixão, a solidariedade e o perdão.

Steven Pinker, professor de psicologia e diretor do Centro de Neurociência Cognitiva no Instituto Tecnológico de Massachusetts, reconhece que ainda há muitos mistérios sobre a mente, a consciência, o *self*, o significado, o conhecimento e a ética. Mas discordo quando ele diz que a mente é um sistema de órgãos de computação feito para resolver o tipo de problema que os nossos ancestrais enfrentavam para se manter vivos (Pinker, 2001).

Quem crê que seus pensamentos são verdades
absolutas está preparado para ser deus e não um ser humano.
A. Cury, em *Os segredos do Pai-nosso*

A mente só resolve os problemas de sobrevivência se for treinada, educada. Quando a mente é equipada com os códigos da inteligência, sua capacidade de resolução ultrapassa os limites da lógica, tem uma versatilidade inatingível pelos computadores.

Explique o que é o amor. O sentimento é inexplicável. Toda pessoa que ama é ilógica, se entrega mesmo sem ser correspondida. Quem tem paciência com quem erra é ilógico. A paciência não pode ser prevista em um programa lógico de computador. Ser paciente é mais do que esperar, dar um intervalo de tempo: é uma intenção subjetiva, é confiar e dar crédito a quem não merece, pelo menos em um determinado momento. Quem se esquece de si mesmo e pensa na dor do outro também é ilógico.

O ódio e o amor, a arrogância e a humildade, nascem em fontes muito próximas, que transcendem os limites das leis da matemática, no indecifrável e imprevisível mundo da mente humana. Quem aprende a decifrar os mais excelentes códigos da inteligência abandona o mundo intolerante e inflexível da lógica e dos números e se humaniza. Torna-se resiliente, maleável, solidário, sensível, compassivo, paciente, generoso, magnânimo. Quanto mais uma pessoa decifra esses códigos, mais ela se torna humana e menos se comporta como um deus rígido e autossuficiente. Infelizmente, como muitos não aprenderam a decifrar os códigos, temos mais deuses do que seres humanos no mundo.

Capítulo 4

Os códigos são universais

Um pajé e um intelectual

Se um pajé não romper o cárcere da rotina e desenvolver a capacidade de extrair o máximo de prazer das diminutas coisas da existência – um dos códigos da inteligência –, sua emoção poderá ser empobrecida, flutuante, instável.

De modo semelhante, se o proprietário de uma empresa de extração de petróleo não reciclar sua rotina e lapidar sua capacidade de extrair a beleza, poderá dormir sob uma fortuna incalculável, mas terá grande chance de ser um miserável, cronicamente insatisfeito e instável. Sem decifrar o código da inteligência precisará de grandes estímulos para ter sobras de prazer. Sua história perderá excitação.

O planeta psíquico é tão complexo que pode mudar as leis da matemática: a adição pode gerar diminuição, a multiplicação pode gerar contração. Só não entende esses paradoxos quem nunca se arriscou a explorá-los. Há mulheres que vestem roupas de grifes famosas, exibem corpos perfeitos e formas graciosas, mas suas emoções disfarçam a tristeza através de sorrisos programados. São seres humanos fascinantes que perderam o fascínio da vida.

Se um africano pertencente a uma tribo sem contato com a civilização "moderna" treinar a intuição e a autocrítica – dois outros códigos para explorar a psique –, certamente se tornará flexível, versátil e apto a enfrentar as dificuldades. Conseguirá, por exemplo, ver os obstáculos por outros ângulos e terá, assim, melhores condições de superá-los. Caso contrário, os obstáculos serão arquivados de maneira superdimensionada pelo fenômeno RAM (Registro Automático da Memória), formando zonas de conflitos, o que chamo de janela killer.

> *Sonhos sem disciplina produzem pessoas frustradas,*
> *e disciplina sem sonhos produz pessoas autômatas,*
> *que só sabem obedecer a ordens.*
> A. Cury, em *Nunca desista dos seus sonhos*

Cunhei esse termo para mostrar que o volume de ansiedade que sofremos ao entrar em uma janela killer é tão grande que bloqueia o acesso a milhares de outras janelas, impedindo que o Eu encontre informações para construir pensamentos e ideias inteligentes.

As janelas killer são minúsculas áreas do córtex cerebral em que estão arquivados traumas, fantasias, fantasmas, crises, fobias, ciúmes, sentimentos de inveja, baixa autoestima, timidez, complexo de inferioridade, necessidade neurótica de poder, de controlar os outros, de ser perfeito.

Por outro lado, temos também as janelas light, que contêm as experiências de segurança, as imagens altruístas, a solidariedade, a tolerância, a generosidade, a paciência, a autoconfiança, a autoestima, o prazer, a capacidade de se colocar no lugar do outro, a sensibilidade, a necessidade de inclusão.

As janelas killer – ou zonas de conflitos – travam ou bloqueiam os códigos da inteligência, a lucidez, o raciocínio lógico, a serenidade, a sabedoria, a racionalidade humana. As janelas light, ao contrário, os promovem.

O desafio de cada ser humano é abrir o máximo possível de janelas em um determinado momento para reagir de forma lúcida e coerente. Entretanto, quando entramos em uma janela killer, as experiências doentias gravadas nela geram um volume de ansiedade tão grande que bloqueia o acesso às demais janelas. Desse modo, agimos instintivamente, sem pensar, como animais. Produzimos respostas agressivas, irracionais, débeis.

Se o membro de uma tribo africana vir um raio caindo sobre uma árvore e queimando-a, poderá formar uma janela killer se não decifrar minimamente o código da autocrítica para filtrar o estímulo estressante. Toda vez que vir um raio terá reações distorcidas e exageradas. O raio poderá deixar de ser um fenômeno comum e se tornar um fenômeno sobrenatural, associado a um deus ou um monstro, gerando superstições, dogmas, traumas.

---

*Ninguém é digno do pódio se não
usar seus fracassos para conquistá-lo.*
A. Cury, em *Nunca desista dos seus sonhos*

Nos ambientes urbanos, de modo semelhante, há pessoas que, por não desenvolverem o código da autocrítica, dão um valor sobre-humano a certas palavras e imagens, produzindo ícones, ídolos políticos, divindades científicas, e silenciando suas próprias vozes.

Adoecer é mais fácil do que pensamos

Todos nós construímos inúmeras zonas de conflitos ao longo do processo de formação da personalidade: desde uma simples fobia até um nojo excessivo por um inseto; desde a aversão por altura até o medo de lugares fechados; desde uma reação impulsiva diante de um filho até uma reação apreensiva diante de uma plateia; desde o sentimento de culpa pelo passado até o sentimento de angústia pelo futuro.

Em nossa psique existem fenômenos que se tornaram deuses ou monstros? Reconhecer nossas miserabilidades é outro código da inteligência. Parece fácil falar, mas muitos não têm coragem de reconhecer suas mazelas. Quem não decifra esse código arrasta suas doenças ao longo de todo traçado de sua história, com chances mínimas de ser saudável.

De modo semelhante, se o executivo de uma empresa transcontinental não refinar o código da autocrítica e da intuição diante de seus desafios, não abrirá o leque da sua mente para enxergá-los por outros ângulos. Em vez de esses desafios gerarem oportunidades criativas, produzirão fantasmas e medo do futuro.

Tanto a mente de um indígena da Amazônia quanto a de um intelectual de Oxford têm facilidade de criar fantasmas. Por quê? Porque os pensamentos conscientes nos quais se alicerçam a racionalidade do *Homo sapiens* são de natureza virtual. Não são reais em si mesmos. Tudo o que você e eu pensamos sobre nós mesmos e sobre os outros não é concreto, essencial, mas fruto de um sofisticado sistema de interpretação. E toda interpretação é passível de inúmeras distorções.

Ninguém é digno da sabedoria se não usar
suas lágrimas para irrigá-la.
A. Cury, em *A sabedoria nossa de cada dia*

Goleman (1996) comentou que informações são estímulos bioenergéticos originados nos órgãos sensoriais que chegam ao sistema nervoso central através dos nervos. Ao serem levados ao cérebro, os estímulos são codificados e armazenados em áreas específicas, onde as informações provenientes de um mesmo órgão sensorial são interpretadas e diferenciadas.

Como Goleman diz, os estímulos – as palavras e as imagens – sofrem uma sequência de processos para serem assimilados pelo córtex cerebral, a camada mais evoluída do cérebro. Uma vez atingindo o córtex, como vimos, as variáveis emocional (como estamos), histórica (o que somos), social (onde estamos) e genética (nosso código) e a atuação do Eu como gestor psíquico influenciam a maneira como interpretamos cada um desses estímulos.

Pequenas mudanças nesses ambientes transformam a interpretação. Uma simples mudança em nosso estado emocional, de tranquilidade para ansiedade, gerará interpretações distintas diante da mesma situação, ainda que em alguns casos isso seja imperceptível. Tranquilo, um pai pode ser tolerante com o erro de um filho; ansioso, ele pode ser implacável diante do mesmo comportamento.

Quem acha que seus pensamentos são verdadeiros tem vocação para ser deus, e não para ser humano. A verdade humana nunca é pura, mas interpretativa. Quando deciframos os códigos da inteligência, nos tornamos mais flexíveis, tolerantes, inclusivos. Entendemos que mesmo as verdades científicas podem ter coerência, mas não são eternas nem imutáveis. Muitas grandes verdades caem a cada dez anos. Se no campo científico há tanta flutuação, imagine nas relações humanas.

---

*Ninguém é digno do oásis se não aprender
a atravessar seus desertos.*
A. Cury, em *Treinando a emoção para ser feliz*

Quantas vezes depois de algumas horas de discussão achamos que extrapolamos, que poderíamos ter agido de outro modo? Nossa verdade caiu. Quantas vezes fora do calor das tensões percebemos que valorizamos coisas sem importância e sofremos estupidamente por tolices? Nossa verdade diluiu-se.

Precisamos treinar diariamente, dar um choque de lucidez em nossa capacidade de interpretar a vida e seus eventos. Caso contrário, é quase impossível não cometermos erros inumanos, como foi o caso de Einstein. Vamos saber como isso aconteceu no próximo capítulo.

Capítulo 5

Os códigos que Einstein não decifrou

A falha inconcebível de Einstein

Os mais importantes códigos ou funções da inteligência estão bloqueados em cada ser humano. Em uns excessivamente, em outros de forma menos gritante. Einstein decifrou alguns importantíssimos códigos, como o código da intuição criativa, da arte da dúvida, do debate de ideias, da observação rigorosa.

O gênio da física libertou seu imaginário, andou por ares nunca antes imaginados, reciclou paradigmas, produziu um corpo de conhecimentos que revolucionou a maneira como vemos o universo. Enxergou eventos físicos de modo único. Sua teoria foi de uma engenhosidade assombrosa.

Einstein foi considerado um dos maiores cérebros humanos. Mas será que teve alguns códigos da inteligência represados? Sim. Tão reprimidos que o levaram a cometer algumas falhas inadmissíveis na relação com um dos filhos, mas pouco se comentou sobre esse assunto na imprensa mundial.

Einstein era um homem simples, sociável, gentil, amante da música, mas o código da resiliência e o código da capacidade de se encantar com os pequenos estímulos da rotina diária estavam contraídos.

O pensador da física explorou muito o mundo à sua volta, mas pouco viajou pelo pequeno e infinito mundo da sua mente. Não decifrar esses códigos provavelmente contribuiu para que ele construísse vilões em sua própria psique e tivesse tendências depressivas e pensamentos mórbidos, pessimistas.

Creio que Einstein também não tenha decifrado plenamente outros códigos que ultrapassavam os limites da lógica, como o código do altruísmo e o da capacidade de se colocar no lugar do outro. Se ele os tivesse desenvolvido em seu psiquismo, jamais teria deixado de visitar por anos a fio seu filho portador de uma psicose no manicômio em que o internou.

O grande Einstein se apequenou. Abandonou um filho no momento em que este mais precisava. Como pôde um humanista agir sem humanidade? Como pôde um pai colocar um filho no rodapé da sua história? Einstein foi a primeira grande celebridade da ciência. Mas, enquanto brilhava, seu filho vivia no anonimato de um manicômio. *Todos os pais amam estar ao lado dos filhos que estão no pódio, mas a excelência do amor revela-se quando se está ao lado daqueles que nunca saíram das últimas fileiras.*

A vida é cíclica, quem hoje é aplaudido amanhã poderá ser vaiado; quem hoje é humilhado amanhã poderá ser exaltado.
A. Cury, em O vendedor de sonhos II – A missão

Não se comenta que o homem que mais conheceu as forças do universo físico foi derrotado pelos fenômenos de um universo mais complexo, o psíquico. Os delírios, as alucinações, as imagens mentais surreais e os pensamentos desorganizados do filho eram fenômenos mais profundos do que os estudados na teoria da relatividade geral. Tais fenômenos o perturbaram.

A decadência do hospital e o sentimento de impotência em lidar com fatos ilógicos também angustiaram o gênio da física. Por não decifrar determinados códigos da inteligência, ele agiu em algumas áreas sem qualquer genialidade.

Os buracos negros da mente humana

Einstein estudou os complexos buracos negros que são capazes de sugar e destruir estrelas e planetas inteiros como a Terra. Mas não sabia que na psique humana existem buracos negros – as janelas killer – capazes de sugar e destruir nossa solidariedade, altruísmo, lucidez e raciocínio esquemático nos focos de tensão.

Freud decifrou o código da ousadia, da capacidade intuitiva, do olhar multifocal, da sensibilidade, do raciocínio esquemático e do processo de observação detalhado, por isso foi um grande produtor de conhecimento. Mas não decifrou plenamente o código da tolerância, do altruísmo, da democracia das ideias. Se os tivesse decifrado, descobriria que a verdade absoluta não existe na ciência, que a verdade é um fim inatingível. Sim, se os tivesse decifrado, jamais baniria da família psicanalítica amigos que contrariavam suas ideias, em especial em relação à teoria da sexualidade.

Quem quer o brilho do sol deve adquirir habilidade
para superar adversidades, deve ser resiliente para atravessar
o breu da soturna noite. Não há milagres. A vida é
uma grande aventura em que noites e dias se alternam.
A. Cury, em *O código da inteligência*

O grande Freud talvez suportasse as críticas de fora, mas não teve maturidade para suportar as críticas que surgiram dentro do ninho psicanalítico, não admitiu ser confrontado pelos seus pares.

E o Mestre dos mestres, Jesus Cristo, decifrou esses códigos? Ele falhou nos focos de tensão? Como lidou com os opositores que surgiram? Tentei, através da análise crítica, derrubar o mito de Jesus, mas esse homem me assombrou. No último jantar, ciente de que morreria do modo mais inumano possível no dia seguinte, decifrou o código da proteção da emoção e do gerenciamento dos pensamentos e, por isso, conseguiu ter apetite em uma situação na qual qualquer um teria bulimia.

Nesse jantar anunciou que alguém o trairia, mas não o identificou. Pela proximidade da morte, sua tolerância e generosidade deveriam estar sendo tragadas pelas janelas killer do medo e da angústia. Mas ele decifrou o código do altruísmo, da resiliência, do carisma e da capacidade de se doar sem esperar retorno. Somente isso explica por que protegeu Judas Iscariotes, em vez de expor sua traição, e, ainda por cima, deu-lhe um pedaço de pão.

Seguro, disse a ele: *O que tendes de fazer, faça-o depressa*. Não tinha medo de ser traído, mas de perder seu discípulo. Diferentemente de Freud, ele incluiu, abraçou e respeitou quem o decepcionou ao máximo.

Há mais mistérios entre desejos e sonhos do que imagina nossa vã psicologia. Desejos são intenções superficiais, sonhos são projetos de vida. Desejos não resistem ao calor das perdas, sonhos criam raízes nas dificuldades. Até os psicopatas têm desejos de mudança, mas só os que sonham transformam sua realidade.
A. Cury, em *Nunca desista dos seus sonhos*

E as nossas falhas?

É fácil criticar quem não decifra os códigos da sua inteligência. Somente grandes pensadores, como Einstein ou Freud, erraram nas relações humanas? Se voltássemos o dedo indicador para nós mesmos, passaríamos ilesos? Será que não há zonas de conflitos que nos têm levado a colocar pessoas importantes no rodapé de nossa história, ainda que não admitamos?

Quem não é herói em alguns momentos e vilão em outros? Quem não é maduro em determinadas funções da inteligência e infantil em outras? Que psicólogo, pedagogo, sociólogo ou filósofo não tem reações incoerentes e tolas quando atingido por determinados tipos de estresse?

SEGUNDA PARTE

As quatro armadilhas da mente

Não há ser humano lúcido que não reaja com estupidez nem pessoa tranquila que não tenha seus momentos de desespero. Devemos ter consciência de que somos uma massa de seres humanos imperfeitos vivendo em uma sociedade imperfeita. Você vai frustrar as pessoas próximas e elas irão frustrá-lo. Por isso, decifrar o código da tolerância não é uma opção nas relações humanas, mas uma necessidade insubstituível.

Capítulo 6

Primeira armadilha da mente humana:
o conformismo

O ser humano pode viver amordaçado dentro de si, ainda que sua língua esteja livre para falar. Pode viver acorrentado, ainda que suas pernas estejam soltas. Pode viver asfixiado, ainda que seus pulmões estejam abertos.

Diversas armadilhas mentais são construídas sorrateiramente ao longo do processo de formação da personalidade humana. Elas nos aprisionam no lugar em que todos deveríamos ser livres. Nenhum ser humano está livre delas, por isso nenhum ser humano é plenamente livre, seja ele uma criança ou um adulto, um intelectual ou um iletrado, um psiquiatra ou um paciente, um europeu ou um africano.

Lucidez para reconhecê-las e humildade para assumi-las são fundamentais para superá-las. Como quase tudo na psique é de mão dupla, as armadilhas da mente humana bloqueiam a capacidade de decifrar os códigos da inteligência; por sua vez, a incapacidade de decifrar determinados códigos constrói essas armadilhas. Somos vítimas e vilões da sociedade – somos vítimas e vilões de nós mesmos.

Nos capítulos a seguir, abordarei quatro dessas armadilhas. Elas impedem o desenvolvimento da excelência psíquica, afetiva, social e profissional. Tais armadilhas podem estar presentes de maneira sutil ou marcante em cada um de nós. Até pessoas ativas, dinâmicas, empreendedoras e desembaraçadas as alojam em seu psiquismo.

O conformismo

O conformismo é a arte de se acomodar, de não reagir e de aceitar passivamente as dificuldades psíquicas, os eventos sociais e as barreiras físicas. O conformista amordaça o Eu, impedindo-o de lutar pelos seus ideais, de investir em seus projetos, de alterar a sua história. Não assume sua responsabilidade como agente transformador do mundo, ou pelo menos do seu mundo.

O conformista acredita que tudo é obra do destino. Por outro lado, o ativista acredita que o destino é uma questão de escolha. O conformista é vítima do seu passado; o ativista é autor da própria história. O conformista vê a tempestade e se amedronta; o ativista vê a chuva e enxerga a oportunidade de cultivar. O conformista se aprisiona no passado; o ativista se liberta no presente.

As sociedades modernas tornaram-se uma fábrica de pessoas ansiosas. O normal é ser estressado, irritadiço, estar fatigado; o anormal é abraçar as árvores, falar com as flores, fazer da vida um espetáculo. Se estiver estressado, você é normal.
A. Cury, em O futuro da humanidade

Existem seres humanos 100% conformistas ou 100% ativistas? Não, porque ninguém bloqueia todas as funções da inteligência ou as liberta completamente. Alguns são magníficos para decifrar os códigos da inteligência em determinadas áreas, mas são conformistas em outras e vice-versa. Alguns são ágeis para ganhar dinheiro, mas lentos para conquistar o que o dinheiro não compra. Alguns são seguros para dirigir carros, mas frágeis para controlar suas reações. Alguns são peritos em conquistar metas profissionais, mas lentos para conquistar seus filhos, alunos, colegas de trabalho. Alguns são exímios leitores de livros, mas péssimos leitores de comportamentos. Alguns são brilhantes para investir na própria empresa, mas péssimos para investir em si mesmos.

O conformismo é uma armadilha da mente que arrasta grande parte de jovens e adultos. Não é catalogado como doença, mas é uma característica doentia da personalidade pulverizada em todas as sociedades. Soterra habilidades, anula dons, contrai competências, bloqueia algumas funções mais notáveis da inteligência. Alguns conformistas não conseguem ser conquistadores no teatro social e muito menos no teatro psíquico. Não exploram nem o que as pessoas têm de melhor nem o que possuem de mais importante. Vivem na superfície.

Você pode conviver com milhares de animais e talvez nunca se sentirá frustrado. Mas, se conviver com um ser humano, por melhor que seja a relação, um dia passará por intensas frustrações. Tal consciência nos protegerá.
A. Cury, em *Maria, a maior educadora da História*

Júlio – nome fictício, mas história real – era filho de um grande empresário. Sempre teve os melhores carros à disposição, cartão de crédito quase ilimitado. Frequentava os melhores hotéis. Viajava de primeira classe nos aviões e desdenhava dos que iam em classe econômica. Acreditava em destino. Acreditava que estava destinado a viver uma vida eternamente confortável.

Todo ser humano quer ser reconhecido, todo ser humano precisa escrever a própria história. Como possuía tudo ao seu redor, Júlio teve uma desvantagem competitiva em relação aos colegas menos abastados: não percebeu que, se na juventude é aceitável a dependência dos pais, na vida adulta ela é uma fonte de ansiedade, de baixa autoestima, de complexo de inferioridade. Não decifrou a capacidade de lutar pelo que ama. Pensou que o dinheiro comprava tudo, mas não comprou o amor da esposa, o respeito dos amigos, o prazer pelas simples coisas.

Não cursou faculdade. Não se preparou para assumir a empresa da família. Condenou-se a ser um eterno dependente, um filho que vivia à sombra do pai. Pouco a pouco afundou-se nas drogas, entrou em depressão e se tornou um alcoólatra. Até que, depois de vários tratamentos fracassados, descobriu que não tinha uma doença psíquica, mas um Eu doente, conformista, inerte, sem reação. Tinha tudo e não tinha nada. Não possuía uma história. Entendeu que um ser humano sem história é um livro sem letras. Aos poucos começou a reescrevê-la. Ele precisava tratar de seus problemas físicos, mas precisava, muito mais, se reconstruir como ser humano.

O conformista é inerte e mentalmente preguiçoso, pelo menos na área em que se considera incapaz, inábil. Não exerce suas escolhas por medo de assumir riscos. Não expande seu espaço por medo da crítica. Prefere ser vítima a agente modificador. Prefere ser amante da insegurança a parceiro do entusiasmo. Prefere enterrar seus talentos a dar a cara para bater. Os conformistas transformam fracassos em medo; os determinados transformam derrotas em garra.

A vida é um grande contrato de risco, tem curvas imprevisíveis e acidentes inevitáveis.
A. Cury, em *Filhos brilhantes, alunos fascinantes*

O conformismo amordaça pessoas fascinantes

Se um aluno não for conformista e tiver fraco desempenho nas provas, decifrará o código da capacidade de lutar, reagir. Ficará incomodado, debaterá ideias, melhorará sua concentração. Dedicará mais tempo e energia para virar o jogo e se superar, como Einstein, que não era um aluno brilhante nos primeiros anos de escola. Mas, se for conformista, esse aluno formará janelas doentias que o aprisionarão e o levarão a acreditar que seu destino está traçado. Transformará mentiras em verdades, acreditará ser incapaz, limitado, destituído de inteligência, inferior aos seus colegas.

Quantos milhões de jovens estão formando neste exato momento janelas traumáticas que assassinam sua capacidade de empreender, de se aventurar, de ter gana, garra, autoestima? Algumas pessoas que foram desprezadas publicamente nunca mais se ergueram. Outras, abandonadas por quem amam, nunca mais desenvolveram autoconfiança. Ainda outras que perderam uma ou mais vezes seu emprego nunca mais acreditaram em si mesmas. Deixaram de usar ferramentas para explorar sua psique. Deixaram de decifrar os códigos da sua inteligência. Sentenciaram-se à mediocridade. Ninguém pode asfixiar, anular e amordaçar mais um ser humano do que ele mesmo.

Tornaram-se algozes do seu ser. Rotularam-se e se deixaram rotular. Alguns estão sempre autoaprisionando, achando que serão depressivos, fóbicos ou obsessivos para sempre. Não lutam desesperadamente por sua saúde psíquica. Não percebem que são, acima de tudo, seres humanos complexos e, como tal, podem desenvolver a capacidade de proteger sua emoção, gerenciar seus pensamentos, filtrar seus estímulos estressantes.

Desconhecem o tesouro soterrado nas pilhas das suas perdas. Se decifrassem os códigos da inteligência, romperiam suas algemas, se reciclariam e se prepapariam para uma segunda jornada afetiva e profissional.

A sabedoria não está em não falhar ou sofrer, mas em usar nossas falhas para amadurecer e nosso sofrimento para compreender a dor dos outros.
A. Cury, em *O mestre inesquecível*

Reis das desculpas

Os conformistas são os reis das desculpas. Sempre têm justificativas para não atuar, não treinar, não exercitar seu intelecto. Raramente duvidam daquilo que os controla e proclamam: "Não concordo em ser assim!

Não aceito este destino!" Claro que há fatalidades que não dependem de nós e sobre as quais não temos controle. Devemos aceitá-las com humildade e serenidade, mas, quando a situação depender de nós, jamais podemos nos isentar de agir.

Alguns conformistas vestem o manto da humildade, mas por dentro exalam o aroma do egoísmo. Nem sempre o conformista é egoísta com os outros, mas certamente o é consigo mesmo. Não tem amor-próprio, não usa todo seu potencial para executar seus sonhos e superar suas falhas.

Os conformistas parecem desapegados de preconceitos, mas na realidade são profundamente aferrados à sua visão estreita de vida e aos seus maneirismos (manias). Alguns parecem desprendidos do dinheiro, condenam o materialismo, mas no fundo amam silenciosamente a riqueza. Coloque uma fortuna em suas mãos que o monstro da cobiça que hiberna como janela killer no seu inconsciente será despertado.

Alguns são mestres dos disfarces. Dizem que está tudo bem, não assumem suas reais dificuldades. Não pedem ajuda nem treinam seu Eu para correr riscos. Têm medo de ser criticados, vaiados, vencidos.

Reafirmo que todos nós bebemos elevadas doses de conformismos em determinados momentos. Alguns são ótimos para resolver os problemas dos outros, mas são péssimos para resolver os seus próprios.

Outros são intrépidos para estimular seus amigos a sair do lugar, mas não têm coragem de vencer sua paralisia. Preferem a falsa proteção do casulo em que se escondem a ousar viver em um mundo livre com suas nuances e perigos.

Os perdedores veem os raios e se amedrontam, os vencedores veem a chuva e, com ela, as oportunidades.
A. Cury, em *Revolucione sua qualidade de vida*

Capítulo 7

Segunda armadilha da mente humana:
o coitadismo

O coitadismo é a arte de ter pena de si mesmo. O coitadismo é o conformismo potencializado, capaz de aprisionar o Eu para que ele não utilize ferramentas para transformar sua história. Vai além do convencimento de que não é capaz, entra na esfera da propaganda do sentimento de incapacidade. O coitadista faz marketing de suas crenças irreais, de impotências e limitações. Não tem vergonha de dizer "Sou desafortunado!", "Sou um derrotado!", "Nada que faço dá certo!", "Não tenho solução!", "Ninguém gosta de mim!".

São pessoas com notável potencial, mas que o jogam no lixo. Incorporam o papel dramático e autopunitivo de que estão programados para serem fracassados. Nada é tão violento contra si mesmo.

Nem todo conformista é coitadista, mas todo coitadista é um conformista. Por que o coitadista demonstra seu complexo de inferioridade e suas miserabilidades? Porque, usando sua miséria, faz com que os outros gravitem em sua órbita. Portanto, tem ganhos secundários com sua propaganda.

Os conformistas estão sempre esperando que os outros os encorajem, os animem, os estimulem com frases como "Você é capaz!", "Não desista!", "Você é inteligente!", "Você é querido!". São ricos e não o sabem. Dependem das migalhas dos outros para sobreviver, precisam ter atenção, ser valorizado. Não decifram os códigos da sua inteligência. Deixam que os outros decifrem por ele. Condenam-se assim a uma eterna mesmice.

Maria Lúcia tomava doze medicamentos, entre tranquilizantes e antidepressivos, quando a atendi pela primeira vez. Estava doente havia dez anos. Era depressiva, solitária, negativista, insociável. A cada dez palavras proferidas, nove se destinavam a reclamar da vida. Não saía de casa nos últimos anos. Era professora, mas não exercia a profissão. Considerava-se imprestável para estar à frente de uma classe. Seu marido não ganhava o suficiente para suprir as necessidades da casa. Considerava-o um fraco; ele se calava porque dependia do pai dela para complementar o orçamento familiar. Eram cúmplices de sua miséria sem ter consciência plena disso.

Os fracos julgam, os fortes compreendem.
Os fracos são rígidos, os fortes são tolerantes.
A. Cury, em *12 semanas para mudar uma vida*

O pai ia diariamente cuidar da filha. Ele a elogiava, a levava aos médicos, acariciava, valorizava, aconselhava, mas Maria Lúcia não reagia. Nenhum medicamento fazia efeito. Ela vivia dizendo que estava passando mal, que sua vida não tinha sentido. Às vezes, tinha crises tão sérias que chegava a bater a cabeça na parede. Seu pai era chamado às pressas para socorrê-la.

No início do tratamento, estimulei-a a sair da plateia, a entrar no palco e a dirigir a própria vida. Mas ela preferia se esconder na figuração. A prática do coitadismo a impedia de decifrar seu potencial intelectual. Tinha medo de ser ela mesma. Se melhorasse, quem teria piedade dela? Como poderia sugar a energia dos filhos, do marido e, em especial, do pai?

Sim, ela estava mesmo doente, não estava simulando, mas não sabia que havia aprendido a usar sua doença para ter ganhos secundários, para ter migalhas de prazer e atenção. Os meses se passaram e pouco a pouco

Maria Lúcia foi lapidando seu Eu para sair da plateia. Ela resistia em deixar de ser doente, embora conscientemente insistisse na cura.

Como a vida tem acidentes imprevisíveis, um dia sua mãe morreu. Tempos depois, seu pai se casou novamente e em poucas semanas ela entrou em choque com a madrasta. Foi um caos. O pai se afastou da filha, a fonte de dinheiro secou, a superatenção evaporou. E agora? Tinha que sair do útero da sua casa e se virar no útero social. Foi o que fez. A mulher coitadista decifrou vários códigos da inteligência.

Os fracos excluem, os fortes abraçam. Os fracos fecham as portas, os fortes dão tantas chances quantas forem necessárias.
A. Cury, em *12 semanas para mudar uma vida*

Começou a resgatar seus sonhos e a lutar por eles. Começou a enfrentar suas crises e seus sintomas sem apoio de ninguém. Começou a encarar seus fantasmas interiores. Para quem não saía da cama, essa era uma tarefa árdua. Mas pouco a pouco a "imprestável" profissional começou a brilhar como professora. Rompeu as algemas psicossociais que financiavam sua doença e libertou sua inteligência.

Os coitadistas não sabem que a autopiedade é uma masmorra psíquica que asfixia o prazer, amordaça o desenvolvimento das funções mais importantes da inteligência e bloqueia a excelência intelectual e emocional. Quem tem dó de si mesmo constrói seus alicerces psíquicos no vazio.

Há vários níveis de operacionalidade do coitadismo. Os coitadistas clássicos são facilmente notados, nunca mudam, não saem do lugar, são cansativos, repetitivos e pessimistas e expõem sua miserabilidade. Mas há os que são ativistas, socialmente valorizados, mas têm traços sutis de coitadismo. São fortes para muitas coisas, mas frágeis para tantas outras. Não conseguem parar de fumar, bebem excessivamente, são irritadiços, impulsivos, viciados em trabalho. Foram derrotados por inúmeras tentativas frustradas. São injustos consigo mesmos; acreditam que não podem mudar.

Acorrentados

Há os que lutam pelo que pensam e batalham por suas ideias, mas se acham pobres miseráveis diante da impulsividade, da irritabilidade, do humor depressivo, ou dos sintomas psicossomáticos como dores de cabeça, dores musculares, queda de cabelo, gastrite, fadiga excessiva. Não levam desaforo para casa, mas diariamente levam desaforo para dentro de si. Sabem que precisam reescrever alguns capítulos de sua vida, mas não têm força para pegar a caneta do seu Eu e o papel da sua alma. Adiam sempre.

Muitos coitadistas são autodestrutivos. Não têm um romance com a própria vida. Alguns são muito amados e quem os ama suplica para que cuidem de sua saúde, mas eles insistem em se autodestruir, em falar que são incapazes, em dormir poucas horas, em se afogar em atividades profissionais. Só param quando estão no leito de um hospital ou em um túmulo. Quando você consegue saber o seu limite?

Todos os pais e professores amam estar ao lado dos filhos
e dos alunos que estão no pódio, que atingem os primeiros
lugares, mas a excelência do amor revela-se quando nos colocamos
ao lado daqueles que nunca saíram das últimas fileiras.
A. Cury, em *O código da inteligência*

Alguns coitadistas são humanos com os outros, mas inumanos consigo mesmos. Gostam de cuidar das pessoas, mas são péssimos para cuidar de si. São vagarosos naquilo que deveriam ser desesperados. Os coitadistas, assim como os conformistas, se autoabandonam.

Todos nós temos algumas doses de coitadismo em nossa personalidade, ainda que ínfimas. Todos nós preservamos alguns conflitos que mimamos como se fossem animais de estimação. Ninguém pode tocar nesse "animal", senão viramos uma fera. Algumas pessoas são mansas, mas quando cutucadas em certas áreas ficam irreconhecíveis.

Os coitadistas bloqueiam seu psiquismo porque são contra ter ambições, sem saber o papel fundamental que elas desempenham. Ambições são importantes? Sim, algumas são legítimas e valiosas. Quem pode desprezar a ambição de ter uma boa saúde psíquica, ser tranquilo, feliz, sábio, solidário, ter uma vida confortável, procurar excelência profissional? Quem não decifrar o código da ambição ao explorar sua psique viverá sempre na superfície. Mas o coitadista acha que todas as ambições são negativas.

A pobre energia do desejo e a forte energia da ambição

O coitadista, bem como os conformistas, não entende que a ambição é vital para que o Eu mude as suas rotas. Não entende que a energia da ambição suplanta a energia do desejo. Desejo é uma intenção superficial; ambição é um projeto de vida. Desejo é alicerçado pelo ânimo; ambição é alicerçada pela garra. Os ambiciosos só descansam quando atingem suas metas; os coitadistas descansam antes de entrar na raia.

> *Devemos elogiar as pessoas em público e corrigi-las em particular. Esse foi o exemplo do Mestre dos mestres.*
> A. Cury, em *O mestre dos mestres*

Você tem ambições saudáveis ou desejos tímidos? Se deseja conquistar pessoas difíceis, a energia do desejo se dissipará no calor das primeiras decepções. Mas, se decifrar o código da ambição para conquistá-las, as decepções nutrirão sua força, as frustrações alimentarão sua criatividade.

Um homem tosco, rude, irritadiço, se tiver apenas o desejo de ser romântico, morrerá sendo agressivo, mas, se decifrar o código da ambição do romantismo, poderá dar um salto. Esse código pautará sua agenda, o levará a traçar um projeto diário que o controlará e o fará surpreender a quem ama: dirá coisas inesperadas, fará elogios inusitados, terá gestos inesquecíveis. Regará suas atitudes com gentileza.

Um pai fechado, rígido, um manual ambulante de regras de comportamento e que só pensa em trabalho, se apenas tiver o desejo de conquistar e ter a admiração dos filhos, morrerá distante deles, sem êxito. Mas, se decifrar o código da ambição da conquista, revolucionará sua agenda. Chorará se necessário, reconhecerá seus erros, pedirá desculpas, será mais flexível, relaxado, aberto. Brincará, se soltará e terá mais coragem de contar suas dificuldades para os filhos a fim de que eles o fotografem em seu inconsciente como um pai humano, próximo, afetivo, instigante.

Alguns desejam ser organizados, mas os anos passam e continuam desleixados. Outros têm desejo de ser econômicos, de gastar menos do que ganham, mas quando veem um novo produto, são escravos da euforia, não pensam no amanhã, gastam o que não têm.

A sociedade está tão neurótica atualmente que as crises financeiras e as pressões profissionais podem levar as pessoas a adoecer tanto ou mais do que os traumas do passado. Os pais da psicologia se revirariam em seus túmulos se soubessem que o útero social se tornou uma fábrica de pessoas doentes.

Educar é viajar no mundo do outro, sem nunca penetrar nele.
É usar o que passamos para se transformar no que somos.
A. Cury, em *Maria, a maior educadora da História*

A energia do desejo não basta. Até um psicopata deseja mudanças. Quem não tem uma sólida ambição de superar seus conflitos não potencializa seu psiquismo; pode levar para o túmulo fobias, inseguranças, obsessões, baixa autoestima, alcoolismo e dependência de outras drogas.

Os coitadistas e os conformistas esmagam as habilidades do Eu para decifrar os códigos da inteligência. Aprisionam-se nas tramas da mesmice, bebem da fonte dos desejos, enquanto os agentes modificadores da sua história bebem da fonte da ambição, do manancial dos projetos de vida.

Capítulo 8

Terceira armadilha da mente humana: *o medo de reconhecer os erros*

O medo de reconhecer os erros é, acima de tudo, o medo de se assumir como um ser humano com imperfeições, defeitos, fragilidades, estupidez, incoerência. Formamos nossa personalidade em uma sociedade superficial que esconde a humanidade e supervaloriza o endeusamento.

Quem está brilhando hoje, amanhã poderá cair em desgraça para que outro o substitua. O pódio é cíclico, não há espaço para dois primeiros lugares. Além disso, a mídia constrói e destrói mitos. Podemos ter dignidade para estar entre os primeiros ainda que nunca subamos ao pódio e fiquemos entre os últimos.

Uma minoria ganha o Oscar, o Nobel, o Grammy. Uma minoria torna-se ícone social e profissional. Mas, como veremos, podemos desenvolver os hábitos dos profissionais excelentes e brilhar ainda que nunca sejamos um ícone; podemos revolucionar o ambiente em que estamos, ainda que anonimamente.

Por vivermos em uma sociedade que valoriza os super-heróis, negamos consciente ou inconscientemente nossa humanidade. Temos medo de assumir o que somos: seres humanos, mortais, falíveis, imperfeitos. Não há sábios que não cometam loucuras. Gostamos de ver as chagas dos outros, não as nossas. Os noticiários expõem as falhas alheias e cativam nossos olhos, enquanto ficamos na sala silenciosos, escondidos de nós mesmos em nossas poltronas.

Não é possível desenvolver as funções surpreendentes da inteligência – as ferramentas mais importantes para explorar nossa psique – se não tivermos coragem de enfrentar nossa realidade, descortinar algumas áreas de nossa personalidade. A psique, como temos visto, é como um teatro onde encenamos uma peça. Quem não assume seus defeitos, quem não reconhece suas "loucuras" vive artificialmente, não amadurece.

> O melhor educador não é o que controla, mas o que liberta. Não é o que aponta os erros, mas o que os previne. Não é o que corrige comportamentos, mas o que ensina a refletir. Não é o que desiste, mas o que estimula a começar tudo de novo.
> A. Cury, em *Maria, a maior educadora da História*

"Errar é humano, mas não admito meus erros"

O ser humano é de um lirismo ácido. Todos sabem que errar é humano, mas insistimos em ser deuses, temos a necessidade neurótica de ser perfeitos. Amamos conviver com pessoas simples, despojadas, mas complicamos nossa vida. A energia gasta pela necessidade da perfeição é caríssima, esmaga o prazer de viver.

O medo da crítica, do vexame, da rejeição, do julgamento alheio e dos olhares sociais tem feito mentes brilhantes apagarem suas luzes. Por nada nem ninguém podemos deixar de decifrar o código da espontaneidade. Quem não o decifra pouco a pouco se deprime. Nossa liberdade não pode estar à venda por preço nenhum. Mas a vendemos por bobagens, a trocamos com incrível facilidade. Veja os exemplos.

Quando alguém aponta um erro que cometemos, nosso humor muda. Quando alguém revela uma atitude estúpida que tivemos, ficamos indignados. Nas relações em que o poder é desigual, a situação é pior. Quando um paciente corrige um psiquiatra, gera um escândalo. Quando um funcionário aponta uma falha de um executivo, é um desaforo. Quando um filho discorre sobre um comportamento débil de um pai, revela um desacato à autoridade. Nada tão absurdo! Nada tão imaturo!

> Podemos resumir Jesus Cristo como A. Cury, em O mestre dos mestres, o resumiu neste pensamento: nunca alguém tão grande se fez tão pequeno para tornar os pequenos grandes.
> A. Cury, em O mestre da sensibilidade

Nas relações desiguais, o vírus do orgulho contagia em frações de segundo o cérebro daquele que se considera superior, levando-o a silenciar a voz do que está em uma posição inferior. Tais reações são doentias, pois não há psiquiatra, executivo e pai que não falhe, às vezes, vexatoriamente. Quem usa a relação de poder para impor suas ideias não é digno do poder em que está investido.

Quantos professores não cometeram acidentes na formação da personalidade dos seus alunos, ainda que sem perceber, porque nunca tiveram coragem de pedir desculpas quando levantaram a voz desnecessariamente ou julgaram de forma precipitada? Não decifraram o código do desprendimento e da generosidade.

Certa vez, um professor fez um aluno repetir várias vezes uma palavra que não conseguia articular diante de seus colegas até acertar. Quanto mais o aluno tentava, mais errava e mais arquivava janelas killer dentro de si. Até que começou a chorar e o professor se arrefeceu.

Poucos segundos pautam uma história. A atitude desastrosa do professor aprisionou o jovem aluno no lugar em que deveria ser espontâneo e livre. O resultado? Nunca mais, mesmo quando adulto, conseguiu se expressar quando estava em grupo. Ao tentar falar, sentia falta de ar, excesso de suor, palpitação. Seu cérebro o preparava para fugir do monstro do vexame e da humilhação cravado em sua psique.

Muitos pais querem que seus filhos sejam humanos, mas eles mesmos se comportam como se fossem deuses. Pais no mundo todo, da

Europa à Ásia, do Oriente Médio às Américas, querem que seus filhos reconheçam seus erros, mas não reconhecem os erros que eles próprios cometem.

> *O excelente mestre não é o que mais sabe, mas o que mais tem consciência de quanto não sabe. Não é o que é viciado em ensinar, mas o mais ávido a aprender. Não é o que declara os seus acertos, mas o que reconhece suas limitações.*
> A. Cury, em *Maria, a maior educadora da História*

Quem não decifra os códigos da inteligência acaba formando jovens insensíveis, frios, que só pensam em si mesmos. Quem os decifra e os aplica tem grande chance de formar pensadores que também decifrarão e aplicarão esses códigos.

O código do amor

Há milhares de jovens universitários destituídos de sensibilidade, com traços marcantes de psicopatias. Têm cultura acadêmica, mas não são solidários, tolerantes, altruístas; ao contrário, são egoístas, radicais, sectários. Desconhecem o código da família humana. Amam sua religião, sua ideologia política, seu país, seu time esportivo e sua raça mais do que a espécie humana. Se um dia dirigirem sua nação, cometerão atrocidades, sem se importar com as necessidades dos outros.

Do ponto de vista psiquiátrico, psicológico e sociológico, o famoso pensamento *Amai o próximo como a ti mesmo* está corretíssimo. Quem é o próximo? O próximo não foi definido, porque inclui todas as raças, todas as culturas, todas as religiões. Só foi definido quem deve decifrar o código do amor: amar como a *si mesmo*. Que intrigante sabedoria!

Como abordo no livro *Pais brilhantes, professores fascinantes*, quanto pior for a qualidade da educação neste século, mais importante será o papel da psiquiatria e da psicologia clínica. Não têm tido elas papéis em franco processo de crescimento?

Estamos ensinando as crianças e os adolescentes a conhecer as entranhas dos átomos que nunca verão, mas não os estimulamos a descobrir seu complexo planeta psíquico. É fundamental que eles conheçam seu psiquismo, bem como a decifrar os códigos para deixarem de ser vítimas dos traumas da infância, das perdas da adolescência e das frustrações da vida adulta.

Uma pessoa que defende suas ideias está correta, mas quem defende exageradamente sua posição revela uma grande insegurança. Não se deixa influenciar, corrigir, repensar. Defender nossas opiniões com muita assertividade reflete fragilidade.

Como nas sociedades modernas as mulheres estão doentes pelo padrão ditatorial de beleza, elas chegam diante do espelho e travam uma guerra. Dizem: "Espelho, espelho meu, existe alguém com mais defeito do que eu?" Mas cada mulher tem sua beleza única. A beleza está nos olhos de quem enxerga.
A. Cury, em *A ditadura da beleza*

Há pessoas educadas que nos primeiros cinco minutos de conversa são agradabilíssimas, parecem seres angelicais, mas no convívio diário são um tormento. Tecem mil argumentos para sustentar suas atitudes. Nunca reconhecem erros, nunca pedem desculpas. Sugam a energia vital dos outros por falar muito e procurar excesso de atenção.

O homem Jesus teve reações que chocaram o mundo e nos deixou grandes lições antes de ser preso. Decifrou códigos nos quais seus mais importantes seguidores tropeçaram vexatoriamente. Era seguro, lúcido, coerente, enfrentava os vales do medo com incrível coragem, mas quando precisou decifrar o código das lágrimas, não se segurou; quando precisou se despir da sua força e decifrar o código da autenticidade, admitiu sua dor com uma clareza cristalina, ao dizer que sua alma estava deprimida até sua morte; quando atravessou o deserto do desespero, não se calou. Discorreu sobre seu drama.

Como explico no livro *Mestre do amor*, Jesus chamou três amigos, Pedro, Tiago e João – que momentos depois o decepcionariam e o abandonariam – e lhes disse que sua alma estava profundamente deprimida. Só um ser humano verdadeiramente forte pode declarar sem medo sua fragilidade! Só um ser humano maduro não tem medo de si mesmo!

Os grandes líderes espirituais frequentemente são solitários. Não dividem seus sentimentos, suas angústias, seus desertos existenciais com ninguém. Têm medo da crítica, da rejeição e de ser exposto publicamente.

O mesmo fenômeno da solidão, do isolamento psíquico, ocorre com muitas celebridades, intelectuais e profissionais bem-sucedidos. Quando estão no auge da fama e precisam dividir o peso do sucesso, acabam se calando. Quando precisam dialogar com amigos sobre a asfixiante carga de estresse gerada pelo excesso de compromissos, chafurdam na lama do isolamento. Quando precisam se humanizar e falar dos seus sentimentos ocultos, se fecham. Ficam sozinhos mesmo quando aplaudidos.

Muitos não sabem que decifrar o código para falar de si mesmos e reconhecer seus erros é altamente relaxante, reconfortante, agradável. A sociedade estimula o endeusamento, mas tentar ser um deus perfeito e intocável é altamente desgastante e psiquicamente deprimente.

Quem quer desfrutar do néctar das mais belas flores
precisa vencer o medo do desconhecido, superar o medo
das alturas e voar para ares nunca antes respirados.
A. Cury, em Revolucione sua qualidade de vida

Reconhecer nossas debilidades e entrar em contato de maneira nua e crua com nossa realidade não é um passo fundamental apenas para oxigenar a inteligência, reeditar a memória e superar conflitos, mas também para mergulhar nas águas de descanso e beber das fontes mais excelentes da tranquilidade.

Os tranquilizantes podem diminuir a agitação psíquica, mas não produzem a tranquilidade existencial. As técnicas psicoterapêuticas podem expor as causas de nossas mazelas, mas só nós podemos mudar nosso estilo de vida. É preciso decifrar os códigos da inteligência para cumprir esses nobres objetivos.

Capítulo 9

Quarta armadilha da mente humana: *o medo de correr riscos*

O medo de correr riscos bloqueia a inventividade, a liberdade, a ousadia. Inúmeras pessoas travam sua inteligência e enterram seus projetos de vida por causa do medo de correr riscos. Não são conformistas nem coitadistas: eles almejam alcançar seus objetivos, mas não ousam. Procuram transformar seus sonhos em realidade, mas se inquietam com os riscos da jornada.

Reconhecem suas fragilidades, assumem suas limitações, mas não ultrapassam suas fronteiras, não deciframos o código do ânimo, que faz da sua agenda um canteiro de aventuras.

Quem aprende que é necessário correr certos riscos para transformar seus projetos em realidade tem essa consciência: *a existência é um contrato de risco.* Por mais cuidados que tenhamos, inúmeros riscos nos rondam.

Corremos risco de enfartar, de sofrer um acidente, de passar por crises financeiras, de ser assaltado, de cair um avião em nossa cabeça, de tropeçar na calçada, de machucar o corpo praticando esportes, de ser decepcionado pelo cônjuge ou namorado(a), de ser frustrado pelos filhos, de ser traído pelos amigos, de ter inimigos sem motivo, de não preencher as expectativas dos outros, de ter reações incoerentes.

Eliminar todos os riscos da humanidade geraria pessoas autoritárias, individualistas, ensimesmadas, agressivas, deprimidas, entediadas.

O risco implode nosso orgulho, esfacela nosso egocentrismo, nos une, nos estimula a criar laços e a experimentar a difícil arte de depender uns dos outros.

Quem triunfa sem risco sobe ao pódio sem glória.
A. Cury, em *Nunca desista dos seus sonhos*

Sem riscos, a psique não teria poesia, criatividade, intuição, inspiração, coragem, determinação, espírito empreendedor, necessidade de conquista. Sem riscos, não conheceríamos o sabor da derrota nem o paladar da vitória, pois elas seriam um destino inevitável, e não fruto de batalhas. Sem riscos, não erraríamos, não choraríamos, não pediríamos desculpas, não teríamos necessidade da humildade em nosso cardápio intelectual.

Um código que nos humaniza

O código da consciência de que a vida é um grande contrato de risco nos humaniza. Sem essa consciência, não entenderíamos que um dia todos iremos para o pequeno palco de um túmulo diante de uma plateia em lágrimas. Passaríamos a nos comportar como imortais, revestidos de um poder incontrolável e selvagem, ainda que tenhamos nobres títulos acadêmicos.

Os riscos diante da morte transformam ditadores em crianças, psicopatas em meninos, reis em seres frágeis. Os riscos abortam nosso endeusamento e nos fazem enxergar a grandeza das coisas pequenas, como a suavidade da brisa, as gotas do orvalho, as pulsações do coração, o sorriso de uma criança, a fé de um idoso.

Os riscos nessa brevíssima existência também nos fazem ver as lágrimas do Autor da Existência no choro de um bebê que saiu do útero materno e entrou no útero social e no choro de uma plateia diante de alguém que saiu do útero social e entrou no útero de um túmulo.

O código dos riscos

Não deveríamos viver de forma arriscada, radical, irresponsável. Não, não é esse código que devemos decifrar. Não devemos correr riscos à toa, colocar nossa vida e a dos outros em perigo desnecessariamente. A vida é única e espetacular. Cuidar dela de forma carinhosa e responsável é a tarefa mais nobre de um mortal. Mas devemos saber que realizar sonhos, conquistar pessoas e atingir a excelência profissional impõe riscos diários.

Para conquistar a plateia de alunos há riscos. É necessário decifrar vários códigos da inteligência: teatralizar a exposição, humanizar o educador, contar histórias, provocar a inteligência. Mas há o risco de ser desprezado, de ser considerado tolo, utópico. Vender ideias em uma sociedade consumista implica muitos riscos.

Para arrebatar o coração de uma mulher é necessário, entre outras coisas, surpreender, encantar, ser afetivo, intuitivo. Mas há riscos, inclusive o de invadir o espaço dela.

Quem vence sem riscos triunfa sem glória. Quem vence sem glória triunfa sem lágrimas. Quem vence sem lágrimas triunfa sem humildade. Quem vence sem humildade triunfa sem valorizar seus pares ou a labuta da jornada.

Perdas e frustrações fazem parte da pauta de ricos e miseráveis, intelectuais e iletrados. O que nos diferencia é a forma como lidamos com elas.
A. Cury, em *A sabedoria nossa de cada dia*

Não basta superar o conformismo e o coitadismo nem reconhecer nossos erros. Também é necessário superar o medo de ousar, de apostar em novos projetos, de batalhar por aquilo em que se acredita. Muitos intelectuais se tornaram estéreis na produção de novas ideias porque não ousaram arriscar nova linha de pesquisa, propor novos temas, caminhar pelo desconhecido.

O desconhecido e o medo de não chegar a lugar nenhum os paralisaram. Não é coincidência que as grandes descobertas da ciência foram realizadas no período de imaturidade dos cientistas, e não no auge da carreira acadêmica deles. O auge da carreira em qualquer área, mesmo filosófica, política e espiritual, é o melhor meio para asfixiar nossos sonhos, ousadias e aventuras.

O ser humano é tão criativo que, quando não tem problemas, ele os cria.
A. Cury, em *O futuro da humanidade*

No ápice da carreira, conquistam-se aplausos, mas sepulta-se a intrepidez. Os maiores perigos para a inteligência de um executivo não surgem quando sua empresa atravessa dificuldades, mas quando navega em céu de brigadeiro. Nesse estágio eles não experimentam novos processos, métodos, ideias. Ninguém gosta do caos, mas ele pode ser uma fonte de oportunidades criativas.

Quem corre riscos nem sempre é compreendido

O medo de ousar tem destruído a formação de pensadores no mundo todo. Muitos estudantes temem levantar a mão, questionar seus professores, expressar seus pensamentos. O sistema educacional procura alunos quietos, mas a sabedoria procura alunos inconformados. O sistema educacional procura alunos que repetem ideias, mas a formação de pensadores procura alunos que as discutam, usam o raciocínio esquemático e têm coragem de ousar.

Lembro-me de um aluno que tirou zero porque ousou pensar diferente. Merecia tirar dez, mas foi completamente silenciado. Nunca mais ousou expressar seus pensamentos. Lembro-me de outro aluno que não escreveu corretamente uma palavra na prova. A professora o chamou na frente da classe e o fez escrever na lousa a mesma palavra dezenas de vezes.

Foi humilhado publicamente. A humilhação pública foi registrada no inconsciente dele, gerando uma grave zona de conflito. Nunca mais conseguiu escrever textos para mostrar aos outros. No exato momento em que começava a construir palavras, suava frio, seu raciocínio se turvava, não conseguia pensar. Pequenos momentos mudam uma história.

---

*As mulheres são maravilhosamente complexas;
o dia em que você achar que compreende uma
alma feminina, desconfie do seu sexo.*
A. Cury, em O futuro da humanidade

Vivi essa história. Há mais de 25 anos, quando era estudante de medicina, eu escrevia de modo diferente do que me ensinavam. Não fazia isso porque me considerava melhor do que meus mestres, mas porque observava e deduzia algumas coisas de modo diferente. Tal atitude era vista como uma afronta.

Tentaram me silenciar, mas felizmente a ousadia prevaleceu. Quantos pensadores emudeceram para sempre porque foram proibidos de pensar diferente? Você foi emudecido em alguma área da sua personalidade por alguém ou alguma circunstância? Nunca é tarde para romper as armadilhas da mente. É tempo de superar o medo de errar. É tempo de caminhar sem medo de se perder.

Muitos amantes empobreceram sua afetividade porque não se arriscam a criar um novo clima. Beijam, amam, se entregam e até discutem da mesma maneira. Alguns homens estão tão engessados que nem conseguem mudar seus argumentos quando entram em atrito com suas parceiras. Não elogiam, não trazem flores fora de data ou dizem coisas inesperadas. São repetitivos, irritantes, mas querem ser considerados românticos. O medo de ousar aprisiona seu potencial afetivo.

Na psiquiatria, o medo se transforma em doença quando a reação é desproporcional ao estímulo estressante. Nem sempre é fácil de detectar o medo. Algumas pessoas não ousam porque têm um medo concreto, uma fobia definida, como medo de animais, lugares fechados, raios, acidentes.

Mas há pessoas que têm medos indefiníveis, objetos fóbicos não detectáveis. Têm o mais sutil de todos os tipos de medo: o medo do medo, uma apreensão dramática diante do desconhecido, do indecifrável. Esse tipo de medo costuma ter raízes nas preocupações exacerbadas quanto ao futuro.

Todas as fobias são passíveis de serem superadas. Entretanto, veremos que não podemos apagar as janelas fóbicas da memória, mas podemos reeditá-las. Uma das possibilidades de reedição é decifrar e aplicar os códigos da inteligência, filtrando estímulos estressantes, gerindo o psiquismo e libertando a intuição criativa.

---

*Dê as costas para sua dor e ela se tornará um monstro;
enfrente-a e poderá domesticá-la, administrá-la.*
A. Cury, em A sabedoria nossa de cada dia

TERCEIRA PARTE
Os códigos da inteligência

Não conseguimos mudar a nossa mente como o escultor lapida o mármore bruto para construir sua obra ou como o usuário de computador apaga seus arquivos. Não é possível mudar as características da personalidade a seu bel-prazer, caso contrário psiquiatras e psicólogos ficariam desempregados do dia para a noite. Bastaria atuar no metabolismo cerebral e deletar nossos traumas que depressões, obsessões, ansiedades, ataques de pânico e fobias seriam extirpadas do teatro psíquico.

Se, por um lado, não podemos mudar os fundamentos de nossa personalidade, por outro, podemos e devemos decifrar os códigos da inteligência, utilizar as ferramentas para atuar em nosso psiquismo e mudar nossa maneira de ser, reagir, ver e interpretar a vida, bem como expandir nossas habilidades intelectuais, emocionais e sociais. O que parece complicadíssimo na verdade está ao nosso alcance.

Devemos ter em mente que mudanças rápidas só existem em uma mesa cirúrgica. Na psicologia, na pedagogia, na sociologia e na filosofia, como temos visto, os códigos básicos da inteligência são desenvolvidos pela educação e pelo treinamento sistemático.

Capítulo 10

Primeiro código da inteligência:
código do Eu como gestor do intelecto

Estudei mais de cinquenta códigos ou funções da inteligência (Cury, 1999). Eles atuam em diversas áreas: educação, psicologia, sociologia, filosofia, psiquiatria. Discorrerei, neste livro, apenas sobre os nove que considero mais relevantes para serem aplicados na educação atual e na sociedade estressante em que estamos vivendo. Gostaria de escrever centenas de páginas sobre o assunto, mas o propósito aqui não permite.

Chamo as funções da inteligência de códigos porque não basta admirá-los nem entendê-los de forma lógica; é preciso decifrá-los intimamente, desvendar suas nuances, conhecer seus segredos, ter disciplina e treinamento para assimilá-los. Seria excelente se as pessoas aprendessem a decifrá-los desde a mais tenra infância, estudando-os e fazendo dinâmicas e vivências para incorporá-los.

Os adultos rígidos, fechados, toscos, irritadiços, ansiosos, também poderão decifrá-los, vivenciá-los e incorporá-los para reciclar seus hábitos e habilidades. O que exigirá um esforço maior.

Se forem bem trabalhados, os códigos da inteligência podem fazer uma pessoa alienada perseguir fantásticos projetos de vida e transformar um funcionário comum em um executivo brilhante, um eleitor tímido em um político extraordinário, um péssimo cônjuge em um amante afetivo, um estudante relapso em um notável pensador.

Os códigos da inteligência são os alicerces das inteligências múltiplas

De acordo com Howard Gardner, autor de *Inteligências múltiplas*, o conhecimento não é fragmentado, mas interligado por um sistema de inteligências interconectadas e, em parte, independentes, localizadas em diferentes regiões do cérebro, com pesos diferentes para cada indivíduo e cada cultura (Gardner, 1995). Gardner chamou a atenção para a existência das inteligências linguística lógica ou matemática, espacial, corpóreo-cinestésica, musical, interpessoal e intrapessoal.

> *Bons profissionais cumprem ordens, enquanto excelentes profissionais pensam pela empresa.*
> A. Cury, em *O código da inteligência*

Lembre-se de que a definição de inteligência para a Psicologia Multifocal envolve três grandes áreas de abrangência – duas inconscientes e uma consciente. As inteligências múltiplas atingem especialmente a terceira área. Em minha visão, elas são habilidades intelecto-emocionais.

Os códigos da inteligência são mais abrangentes, envolvendo também as duas outras áreas que operam inconscientemente: o processo de construção de pensamentos e o sistema de variáveis que atuam nesse processo. Decifrá-los e assimilá-los produz o desenvolvimento das inteligências múltiplas de Gardner, a inteligência emocional de Goleman, a busca de superação de Adler, as habilidades propostas por Piaget, Vigotsky e outros pensadores.

Deixe-me dar um exemplo do desenvolvimento dessas habilidades. Onde estão nossos traumas? Em que área se encontram os dias mais frustrantes de nossa vida? Em que espaço de nosso inconsciente se encontram as pessoas que nos feriram injustamente? Onde estão alojadas nossas fobias e nossas perdas?

Ninguém sabe essas respostas; não há exames que detectem isso, até porque uma área do tamanho da ponta de uma caneta no córtex cerebral tem milhares de janelas e não sabemos quais são killer, quais contêm os traumas, quais são saudáveis (light) e em que nível estão entrelaçadas.

Você pode tentar deletar todas as pessoas injustas da sua vida, mas não conseguirá. Poderá tentar apagar os traumas do seu passado para ser livre no presente, mas não terá êxito. Estudaremos que a possibilidade restante se resume à reedição do filme do inconsciente ou à construção de janelas paralelas saudáveis ao redor das traumáticas.

Entretanto, para reeditar o inconsciente e construir as janelas paralelas, o Eu precisa decifrar um importantíssimo código: o código de ser gestor da psique. Um Eu passivo, alienado, frágil, que não assume seu papel de líder da psique, perpetua suas mazelas e misérias, preserva suas fobias, suas inseguranças, seu humor depressivo, sua impulsividade.

Alguns afirmam categoricamente que Deus não existe sem nunca ter mapeado os confins do universo, sem nunca ter penetrado nas micropartículas de todos os átomos, sem nunca ter tomado as asas do tempo e percorrido o tempo indecifrável do passado. Se são tão limitados, mas fazem uma afirmação tão grande, são deuses. Só um deus tem tamanha convicção.
A. Cury, em Os segredos do Pai-nosso

Um Eu gestor que aprende pouco a pouco a administrar a construção de pensamentos e de emoções e a reeditar as zonas de conflito, expandindo suas habilidades e desenvolvendo sua inteligência emocional, interpessoal (como trabalhar com as pessoas, como motivá-las e, principalmente, como relacionar-se bem com os outros) e intrapessoal (autocompreensão, autoconhecimento).

Algumas habilidades são traços genéticos, mas podem e devem ser trabalhadas ao longo do processo de formação da personalidade. Os códigos não são fragmentados, mas interconectados de maneira íntima no teatro psíquico. Talvez não seja possível decifrá-los todos na plenitude, mas sim assimilar a maioria de maneira significativa.

Quem os assimila, treina e os incorpora em seu psiquismo desenvolve suas potencialidades psíquicas: a arte de pensar, a saúde psíquica, bem como uma mente arguta, empreendedora, aberta, flexível, que vê por vários ângulos e dá respostas inteligentes em situações tensas.

Fico feliz que haja faculdades de administração e pedagogia interessadas em introduzir esses códigos na matriz da grade curricular, como temas transversais.

Gestão é fundamental

Começarei a descrever o código do Eu como gestor do intelecto. Gastarei mais tempo para comentar os fenômenos psíquicos que o envolvem porque os usarei em todos os demais temas. O oitavo e último código aqui descrito será o código do Eu como gestor da emoção.

Propositadamente, portanto, inicio abordando o gestor do intelecto e fecho comentando o gestor da emoção; abro com a gerência do universo lógico e fecho com a gerência do universo ilógico. No miolo, estudaremos os demais códigos que mesclam esses dois complexos universos.

Bons pais procuram dar o mundo exterior aos filhos;
pais brilhantes procuram dar seu próprio mundo a eles.
A. Cury, em *Pais brilhantes, professores fascinantes*

Gestão é fundamental para que uma família, uma empresa, uma instituição ou uma pessoa sobreviva. Toda gestão tem etapas e processos que devem ser observados, cumpridos e melhorados.

Na gestão doméstica, cumpre-se com um orçamento, compra-se mobília, supre-se de alimentos, organiza-se a roupa, faz-se a limpeza, poupa-se dinheiro. Na gestão de um carro, faz-se manutenção, abastece-se com combustível, dirige-se com cuidado, presta-se atenção a ruídos estranhos. Na gestão empresarial, estabelecem-se metas, avaliam-se custos, supre-se de materiais, realizam-se transações, melhoram-se processos, faz-se a contabilidade.

Em todas as atividades humanas, a gestão é fundamental; sem uma gestão adequada, uma empresa vai à falência, uma família entra em colapso, uma pessoa entra em crise. Se no mundo exterior isso é válido, deveria ser muito mais na mente humana. Mas onde se discute que devemos ser gestores psíquicos? Onde se comenta que sem dar um choque de gestão em nossos pensamentos e emoções podemos ser vítimas, e não diretores do script da peça intelectual? Infelizmente, tenho sido uma das vozes solitárias nessa seara. É raro alguém tocar nesse assunto.

Bons pais preparam seus filhos para os aplausos;
pais brilhantes preparam seus filhos para os fracassos.
A. Cury, em *Pais brilhantes, professores fascinantes*

Após escrever mais de três mil páginas sobre o funcionamento da mente e os processos de construção de pensamentos e de transformação da emoção, fiquei convicto de que nossa psique precisa de um choque de gestão, caso contrário temos grandes chances de bloquear funções psíquicas vitais. Podemos adoecer e fazer com que os outros adoeçam.

O grande gestor da psique

O código do Eu como gestor da mente humana decifra como filtrar estímulos estressantes, fazer a higiene psíquica, reciclar pensamentos, reeditar o filme do inconsciente e construir janelas paralelas para superar nossos conflitos.

O "Eu" representa nossa autoconsciência, a consciência da essência humana (o que somos), da nossa identidade (quem somos), do nosso papel social (o que fazemos), da nossa localização no tempo e no espaço (onde estamos). O Eu é alicerçado em bilhões de informações e experiências arquivadas nas matrizes do córtex cerebral, inclusive as lembranças construídas a partir da vida intrauterina e nos primeiros estágios da infância.

Assim como o alicerce de um edifício o sustenta, embora ninguém o enxergue, a maioria das experiências existenciais que alicerçam o Eu não são lembradas de forma consciente.

Fundamentado em seus alicerces históricos, o Eu como gestor psíquico deveria desenvolver os mais diversos níveis de habilidade para escolher amizades, objetos, ambientes, situações; tomar atitudes, reagir, calar, falar; traçar caminhos, sonhar, eleger alvos; atuar dentro de si, compreender-se, agir, recuar, modificar sua história, se acomodar.

Para Paulo Freire, educar é construir, é libertar o homem do determinismo para que faça suas escolhas, reconheça o papel da história e conheça sua dimensão individual (Freire, 2005). Na linguagem da Psicologia Multifocal, educar é acima de tudo formar o Eu como gestor da sua mente, como agente modificador da sua história e da história social. A formação do Eu é a base do processo de formação da personalidade.

---

*Ninguém é digno das grandes vitórias se
não aprendeu a agradecer as dramáticas derrotas.*
A. Cury, em O mestre dos mestres

Se o Eu for saudável, se decifrou os códigos da inteligência, se aprendeu, portanto, a ser o ator principal, a ter autocrítica, a debater ideias, a trabalhar suas adversidades, a personalidade será bem construída, organizada, estruturada. Se o Eu for conformista, coitadista, pessimista, controlado pelo medo e pelo humor depressivo, a personalidade já está comprometida. As armadilhas nas quais o Eu se envolve determinam o sucesso ou o comprometimento da formação da personalidade e suas habilidades.

Em minha opinião, todo ser humano adoece em alguma área da sua personalidade. Não conheço ninguém que tenha um Eu plenamente autoconsciente e que esteja ciente dos seus papéis como gestor do intelecto.

Para ser um gestor inteligente e eficiente do intelecto, deve-se aprender a trabalhar estas ferramentas:

1. Ter consciência da existência do Eu, que representa a capacidade de escolha, a autodeterminação e a consciência crítica.
2. Treinar o Eu para administrar pensamentos, ideias, imagens mentais e fantasias.
3. Ter plena consciência de que não apenas a *qualidade* dos pensamentos pode comprometer a saúde psíquica – por exemplo, os pensamentos perturbadores, pessimistas e mórbidos –, mas também a quantidade de pensamentos é importante. Uma hiperconstrução de pensamentos, como preocupações, sofrimento por antecipação e ruminação de experiências passadas pode gerar a síndrome do pensamento acelerado (SPA).
4. Saber que a SPA compromete uma série de códigos da inteligência, como o código da interiorização, concentração, observação, dedução, indução, bloqueando funções vitais do intelecto.
5. Dar um choque de gestão na psique usando a arte da dúvida para questionar tudo o que nos controla, todas as falsas crenças, os dogmas doentios, as verdades absolutas.
6. Dar um choque de gestão na psique usando a arte da crítica para reciclar cada ideia pessimista, cada imagem mental perturbadora.
7. Dar um choque de gestão para desacelerar os pensamentos, aliviar a SPA e estimular o Eu a deixar de ser um espectador passivo do teatro psíquico, além de assumir seu papel como ator principal desse teatro, como diretor da peça existencial.
8. Produzir janelas paralelas na memória. Fazer a mesa-redonda do "Eu" fora do foco de tensão, reunindo-se com medos, angústias, fantasias, inseguranças, questionando suas causas e consequências.

9. Reeditar o filme do inconsciente. Fazer a mesa-redonda do "Eu" dentro do foco de tensão, quando a janela killer estiver aberta, ou seja, no exato momento da crise, do ataque de pânico, da reação fóbica, do sentimento de perda.
10. Filtrar estímulos estressantes usando os procedimentos de 5 a 9.

Os predadores se multiplicaram na atualidade

No passado longínquo, os seres humanos gastavam energia física para sobreviver, caçar, pescar, fugir de predadores ou de animais peçonhentos como cobras, escorpiões, aranhas. Hoje vivemos em sociedades sofisticadas. Temos mais segurança e as necessidades humanas são muito mais facilmente atendidas quando temos recursos. Mas de fato somos mais protegidos do que nossos antepassados? Não! Há predadores na atualidade? Sim, muito mais. Há "animais peçonhentos" nas sociedades modernas, em empresas, escolas, famílias? Sim, muitos.

Não há céus sem tempestades nem caminhos sem acidentes. Não tenha medo da vida; tenha medo de não vivê-la intensamente.
A. Cury, em *Filhos brilhantes, alunos fascinantes*

Temos mais predadores que nos consomem e há mais venenos no ambiente em que trabalhamos e transitamos do que no passado. Mas o veneno e os predadores não estão fora de nós, tal como as pessoas que nos agridem, excluem, criticam injustamente. Os mais perigosos venenos e os mais agressivos predadores estão em nossa mente.

Cito alguns: preocupações existenciais, excesso de atividade mental, excesso de cobranças, inseguranças, sentimento de culpa, ansiedade, atenção exacerbada na opinião dos outros, expectativas não correspondidas, necessidade compulsiva de consumir o que não é necessário, preocupações que antecipam situações futuras, pensamentos que remoem experiências passadas.

O ser humano atual se preocupa com a segurança em tudo o que faz, mas é falsamente seguro. Temos fechaduras em portas, janelas, carros, cofres, senhas no cartão de crédito, mas não temos proteção psíquica contra os ataques internos, contra os pensamentos controladores e a hiperconstrução de pensamentos – a síndrome do pensamento acelerado. Hoje nos sentimos mais ameaçados do que no passado, pois nossos inimigos se multiplicaram e se tornaram mais penetrantes.

Pelo fato de o registro na memória humana ser automático e involuntário, as imagens das modelos magérrimas são arquivadas no inconsciente das mulheres sem lhes pedir permissão. Depois, centenas de imagens registradas geram um desastre psíquico, forma-se uma zona de conflito capaz de gerar autopunição e bloquear o prazer de viver.
A. Cury, em A ditadura da beleza

Se pudéssemos voltar milhares de anos no tempo e analisar nossos ancestrais, encontraríamos homens sem vacinas, sem noção de higiene, sem garantias de que se alimentariam no dia seguinte, sem cultura acadêmica; mas também encontraríamos homens que se preocupariam e se angustiariam muito menos. Havia entre eles menos depressão, pânico, transtornos de ansiedade, suicídios.

Sim, eles eram mais agressivos, reativos, instintivos e sem noção de direitos humanos, portanto não são modelos de vida, mas no lugar mais secreto e mais importante para um ser humano, a mente, eram menos perturbados.

Você pode ter vários inimigos na sociedade, mas os piores e mais vorazes podem ser as ideias e as imagens mentais produzidas clandestinamente em sua mente e não administradas pelo seu "Eu".

O desafio dos desafios: gerenciar a SPA

Ao contrário do que muitos profissionais de saúde mental pensam, não é apenas a qualidade dos pensamentos que gera o adoecimento psíquico e os mais diversos bloqueios da inteligência, mas também a quantidade exacerbada deles.

Pensar com lucidez e coerência é a principal tarefa do *Homo sapiens*, mas pensar demasiadamente é seu maior problema, gera um desgaste excessivo do seu córtex cerebral. Mesmo se não produzirmos pensamentos perturbadores, se os construirmos a uma velocidade exagerada, essa produção se tornará o maior vilão da qualidade de vida, gerará um trabalho intelectual exacerbado que roubará energia do córtex cerebral, produzindo a SPA.

Por produzir a teoria sobre os fenômenos que constroem o fantástico mundo dos pensamentos, tive a felicidade de descobrir a SPA, mas o desprazer de saber que grande parte da população mundial hoje, das crianças aos idosos, é acometida por ela. Causas da SPA: 1) excesso de informações: no passado, o número de informações dobrava a cada dois séculos, hoje dobra a cada cinco anos; 2) excesso de estímulo visual e sonoro advindo da TV; 3) excesso de estímulos provenientes de computadores, internet, videogames; 4) excesso de atividades e compromissos (cursos de línguas, atualizações profissionais, cursos de computação, cursos livres); 5) competição predatória, paranoia pelo sucesso a qualquer custo, compulsão por ser o número 1.

O excelente educador abraça quando todos rejeitam, anima quando todos condenam, aplaude os que jamais subiram ao pódio, vibra com a coragem de disputar dos que nunca brilharam.
A. Cury, em *Maria, a maior educadora da História*

Sintomas da SPA: 1) irritabilidade; 2) flutuação emocional; 3) inquietação; 4) intolerância a contrariedades; 5) déficit de concentração;

6) esquecimento; 7) fadiga excessiva; 8) sono não reparador gerando cansaço ao despertar; 9) sintomas psicossomáticos: dores de cabeça, dores musculares, queda de cabelo, gastrite e outros.

A SPA não é um estresse corriqueiro e temporário como muitos médicos pensam – é uma exacerbação da construção de pensamentos que gera ansiedade crônica e insatisfação prolongada.

Veja o desastre mental que nós causamos nas crianças e nos adolescentes na atualidade. O excesso de estímulo e informação é registrado na memória deles pelo fenômeno RAM (registro automático da memória), gerando milhares de janelas disponíveis que são lidas por outro fenômeno inconsciente: o Autofluxo.

> *Todo ser humano passa por turbulências na vida. A alguns falta o pão na mesa; a outros, a alegria na alma. Uns lutam para sobreviver; outros são ricos e abastados, mas mendigam o pão da tranquilidade e da felicidade.*
> A. Cury, em *Você é insubstituível*

Essas janelas não são killer, mas janelas normais da memória. O fenômeno do Autofluxo, que deveria manter um "fluxo brando" de pensamentos e imagens mentais para gerar uma fonte de prazer e entretenimento, como está superexcitado, lê rapidamente essas janelas, produzindo um fluxo de construção a uma velocidade nunca antes vista.

Por não conhecer esses mecanismos, ilustres cientistas da área da psicologia e da pedagogia não percebem que cometemos um crime contra a mente da juventude, e mexemos na caixa-preta do funcionamento deles.

O excesso de estímulo produz, em última instância, um filme mental rapidíssimo. Imagine o estresse de assistir a um filme cujas cenas passam uma velocidade maior do que a normal. O mesmo tem ocorrido com a mente humana.

O excesso de pensamentos, preocupações e ideias não apenas é uma fonte de inquietação, mas de insatisfação. No entanto, as pessoas sorriem.

Sim, mas as emoções prazerosas não são estáveis nem profundas. Ansiedade e desprazer são cardápios comuns do ser humano moderno.

O último lugar em que os alunos querem estar: a escola

O resultado da SPA não poderia ser pior. Crianças e adolescentes são agitados, ansiosos, insatisfeitos, especialistas em reclamar, não têm paciência, querem tudo na hora, não curtem o ócio, se estressam quando ficam dez minutos sem fazer nada.

Grande parte desses sintomas é produzida não porque os educadores atuais não colocam limites nas crianças, como muitos pensam. As causas são muito mais profundas e graves, atingem a última fronteira da ciência, as raízes da construção de pensamentos, o inconsciente psíquico. Enfim, está ligada à SPA. Nada bloqueia tanto a gestão do intelecto quanto essa síndrome. O Eu de adultos e jovens se torna marionete, um joguete, da ansiedade gerada por ela.

O último lugar em que a juventude de um modo geral quer estar é dentro da sala de aula. Por que os jovens não se concentram, têm conversas paralelas, se agitam em sala de aula? Por que são alienados, relapsos, não têm comprometimento social, não pensam no futuro? Novamente, as causas são mais graves do que se pensa. Devido à SPA, os jovens procuram novos estímulos para saciá-los como o ofegante procura o ar.

Quando o homem explorar intensamente o pequeno átomo e o imenso espaço e disser que domina o mundo, e conquistar as mais complexas tecnologias e disser que sabe tudo, então terá tempo para se voltar para dentro de si. Nesse momento, compreenderá que dominou o mundo de fora, mas não o mundo de dentro, os imensos territórios da sua mente.
A. Cury, em *Você é insubstituível*

As teorias belas e profundas como as de Piaget, Vigotsky, Paulo Freire, Morin e Gardner pouco funcionam na atualidade devido à rica sintomatologia dessa síndrome. Por isso, tenho preconizado uma revolução no microcosmo da sala de aula, da pré-escola à universidade, para melhorar a concentração, aliviar a ansiedade e expandir o rendimento intelectual dos alunos (Cury, 2003). Entre elas: 1) música ambiente para aliviar a tensão; 2) sentar-se em forma de "U" para que se olhem olho no olho e melhorar a concentração; 3) usar a arte da dúvida durante a exposição para abrir as janelas da memória; 4) humanizar o professor (contar sinteticamente capítulos de sua vida em alguns momentos) para cruzar o mundo do mestre com o do aluno; 5) humanizar o produtor de conhecimento (contar aventuras, ousadias, derrotas, êxitos, lágrimas, rejeições) para cruzar o mundo do pensador com o aluno e estimular a arte de pensar.

A SPA está em todos os lugares

As pessoas que têm um trabalho intelectual mais intenso, como médicos, psicólogos, jornalistas, executivos e professores, são mais atingidas pela SPA. Há médicos com dores de cabeça, dores musculares e uma fadiga tão grande que parecem arrastar o corpo de tão cansados que estão. Dou várias conferências para meus colegas médicos e fico impressionado, pois somos doentes cuidando de doentes.

Dos miseráveis aos abastados, todos procuram a felicidade como o ofegante procura o ar, como o sedento procura a água. Até um suicida tem sede de ser feliz, pois no fundo não quer se matar, mas matar a sua dor.
A. Cury, em *Treinando a emoção para ser feliz*

Alguns professores têm intenso déficit de memória. Como não administram sua psique adequadamente, o cérebro deles bloqueia a memória para pensar menos e poupar mais energia. Estão muito esquecidos, mas querem que seus alunos se lembrem da matéria nas provas. É um contrassenso. É preciso novas formas de avaliação. Destacarei algumas posteriormente.

Após dar uma palestra na região da Galícia, na Espanha, e discorrer sobre o funcionamento da mente humana e a síndrome SPA, a maioria das pessoas ficou consciente de que possuía a doença. Moravam em um lugar fascinante margeado por oceano e desenhado por montanhas, rota de Santiago de Compostela, mas a SPA é universal, não escolhe povo, cultura, religião ou região.

Dar um choque de gestão na mente humana para administrar a produção de pensamentos é condição básica e insubstituível para se ter saúde psíquica, tranquilidade e saúde social.

O estilo de vida de quem tem SPA precisa de cirurgia, e não de tratamento clínico. Quem não é capaz de fazer uma cirurgia em sua agenda terá sempre dificuldades para ser um bom gestor da sua psique.

É mais fácil dominar um tigre do que a mente humana

Após assistir a um belíssimo espetáculo com tigres, conversei durante muito tempo com o domador. Sua habilidade era tão grande que fazia os animais andarem sobre cordas. Um domínio incrível.

Ele me contou que um grande domador olha nos olhos do animal e sabe reconhecer suas possíveis reações, inclusive sua disposição para atacar. E nunca deve lhe dar as costas. Pouco antes de nosso diálogo um tigre havia surpreendido seu domador, o atacou e o matou.

Diante de sua exposição perguntei se ele dominava sua mente como dominava seus tigres. Indaguei se tinha pensamentos perturbadores que o controlavam, se tinha preocupações que lhe furtavam a tranquilidade, se tinha ideias negativas que promoviam sua ansiedade.

Honesto, ele disse que sim. E teve um insight. Entendeu que é mais fácil dominar tigres do que o intelecto. Acidentes com tigres podem ser raros, mas, como temos visto, não são raros dentro de nós. Somos presas fáceis de nosso psiquismo.

Ser feliz não é um dom genético nem privilégio de uma casta social. Ser feliz é contemplar o belo, é fazer diariamente das pequenas coisas um espetáculo aos seus olhos. Quem não treinar sua emoção para contemplar o belo viverá uma vida miserável, ainda que seja socialmente invejado.
A. Cury, em *12 semanas para mudar uma vida*

Alguns se atormentam por imaginar que estão à beira de um ataque cardíaco, outros que estão com câncer ou que sofrerão acidentes. Estão ótimos de saúde física, mas péssimos de saúde psíquica.

A mente humana é tão criativa que, quando não tem problema, ela os cria. Atendi diversas pessoas encantadoras que viviam miseravelmente porque construíam em sua mente o velório de si mesmas. Imaginavam-se dentro de um caixão sendo velados por parentes e amigos.

Sentiam-se asfixiadas e com falta de ar. Viviam um terror silencioso. Não tinham coragem de se abrir com ninguém com medo de serem zombadas. Queriam escapar do controle dessas imagens, mas seu Eu não sabia ser um gestor psíquico: era passivo, vítima dos pensamentos produzidos inconscientemente pelo fenômeno do Autofluxo.

Se compararmos a mente humana com o mais belo teatro, onde se encontra a maioria dos jovens e dos adultos? No palco dirigindo a peça ou na plateia como espectador passivo de conflitos, perdas e culpas? Infelizmente somos preparados para ser plateia, e não líderes do nosso mundo psíquico.
A. Cury, em *Seja líder de si mesmo*

Não pensem que entre esses encarcerados não há pessoas cultas. Há muitas de imensa cultura, incluindo cientistas, que vivem um drama cálido e incomunicável. Remoem suas imagens mentais. Antecipam o futuro e ruminam o passado, mas não desfrutam do presente. Criam monstros para se assombrar.

O estômago psíquico: quem digere estímulos estressantes?

Somos treinados desde os primórdios da infância a fazer higiene corporal, a tomar banho, a escovar os dentes e a lavar as mãos, mas não aprendemos a descontaminar nossa psique, a fazer uma faxina em nossa mente, a reeditar a fonte inconsciente que emana ideias e preocupações angustiantes. Eis um paradoxo pernicioso!

Não apenas pessoas que não tiveram oportunidade de frequentar uma universidade, mas médicos, juízes, promotores, psicólogos, executivos e educadores que possuem notável saber acadêmico podem viver uma vida miserável se não aprenderem o código do Eu como gestor psíquico para filtrar estímulos estressantes. Seu ânimo, seu prazer, seu humor, sua disposição mental, flutuarão como barco sem leme e sem âncora em mar aberto.

O dinheiro não traz em si felicidade, mas a sua falta a tira intensamente. O estresse financeiro é uma das principais causas de transtornos psíquicos na atualidade.
A. Cury, em *Inteligência multifocal*

Apesar de no mundo ocidental e oriental não se ensinar sistematicamente a gestão psíquica, a humanidade, desde seus primórdios, fez tentativas para proteger a psique. Fizemos quatro tentativas empíricas baseadas em conselhos, vivências e orientações espirituais que foram passadas de pais para filhos, de uma geração para outra, mas que raramente funcionam. Parecem técnicas notórias, mas são superficiais.

Técnicas de higienização mental que não funcionam:

1. Tentar parar de pensar.
2. Tentar esquecer.
3. Tentar se distrair.
4. Tentar mudar de ideia.

Tente parar de pensar em um desafeto, em alguém que o machucou muito. Quanto mais tentar eliminá-lo, mais ele ocupará o centro da sua mente. Dormirá com você e atrapalhará seu sono, se alimentará com você e anulará seu apetite.

Tente se distrair ou mudar de ideia quando tem um importante problema o incomodando. Você pode estar diante da TV, a bordo de um transatlântico, no meio da Floresta Amazônica, mas provavelmente não conseguirá se distrair. E se tiver êxito, será paliativo, temporário. Em breve, o drama retornará. Casos simples podem ser aliviados com tentativas de distração, mas casos mais complexos, não.

Não é fácil gerir nossa mente. Se fosse fácil, raramente uma vingança se cristalizaria em um assassinato, pois a maioria dos vingadores tentou esquecer seu ofensor. Se fosse fácil, poucas vezes um pai ou professor cometeria atos que comprometeriam a formação da personalidade de seus filhos e alunos, pois a quase totalidade deles tem a intenção de ser tolerante, paciente, promover a vida, e não destruí-la.

Baseadas nessas quatro técnicas ineficientes, foram produzidas técnicas para controle mental, meditação e aconselhamentos. Todas essas tentativas, reitero, são boas, mas a mente humana é mais complexa do que imaginamos. Se fossem eficazes, psicólogos e líderes espirituais não adoeceriam. Já tratei diversos deles.

É interessante que o homem mais famoso da história, Jesus, não tenha espiritualizado certos fenômenos psíquicos. Disse no famoso Sermão da Montanha que, se alguém tem um problema com uma pessoa, deveria tentar se entender com ela. Um procedimento simples, mas repleto de significado. Para ele, questões psíquicas deveriam ser resolvidas na esfera psíquica, na esfera dos códigos da inteligência, através da serenidade, da capacidade de reconhecer erros, de se colocar no lugar do outro.

*Quem decifra o código da superação das
intempéries da existência, ainda que perca a vitalidade física,
preservará a psíquica; ainda que os aplausos cessem,
a vida ainda será um show no anonimato.*
A. Cury, em O código da inteligência

Uma ciência só nasce em função das necessidades humanas. A psiquiatria e a psicologia nasceram porque o *Homo sapiens* adoece com facilidade justamente no terreno onde ele se torna *sapiens*, onde constrói o mundo das ideias e dos pensamentos.

O código que revela técnicas mais eficientes

Existem três grandes fontes de estímulos estressantes – a social, a psíquica e a orgânica –, ligadas à carga genética e a alterações do metabolismo cerebral, em especial dos neurotransmissores: serotonina, adrenalina, noradrenalina, acetilcolina. Não entrarei no campo orgânico ou neurocientífico, pois não é minha especialidade.

Tenho convicção de que se aprendermos a filtrar os estímulos estressantes das duas primeiras fontes, melhoraremos muito nossa qualidade de vida, ainda que tenhamos uma carga genética propensa a desenvolver ansiedade e humor depressivo.

A fonte social do estresse é gigantesca – envolve perdas, ofensas, decepções, rejeições, abuso sexual, constrangimentos, pressões, competição predatória, ameaças, morte de pessoas queridas, doenças físicas. A fonte psíquica é maior ainda – envolve fobias, humor depressivo, angústias, pensamentos mórbidos, pensamentos obsessivos, ideias perturbadoras, imagens mentais controladoras, fantasias doentias, crenças falsas, inseguranças, timidez.

> *Uma pessoa é tanto mais rica emocionalmente quanto mais faz muito do pouco e tanto mais pobre quanto mais faz pouco do muito.*
> A. Cury, em O vendedor de sonhos

A fonte externa provém especialmente dos conflitos gerados pelas relações humanas entre pais e filhos, professores e alunos, amigos-amigos, relações afetivas e entre colegas de trabalho. A fonte psíquica provém de duas grandes áreas: MUC (memória de uso contínuo ou centro consciente) e ME (memória existencial, ou centro inconsciente).

Na MUC temos todas as experiências arquivadas conscientemente e utilizadas com frequência, por isso é o centro consciente. As zonas de conflitos arquivadas no MUC podem nos fazer ruminar pensamentos pessimistas, ciúme exacerbado, traumas não superados.

Na ME temos milhões de experiências arquivadas desde os primórdios da existência, em especial desde a iniciação da vida fetal a partir do primeiro trimestre. Angústias, tristeza no entardecer, irritabilidade, timidez e impulsividade não explicadas são emanadas das zonas de conflitos arquivadas na ME.

Para filtrar estímulos estressantes é necessário desenvolver uma capacidade psíquica de digeri-los. Assim como temos um estômago físico que digere os alimentos e, ao mesmo tempo, combate bactérias e outros micro-organismos com seu suco gástrico, devemos desenvolver uma espécie de "estômago psíquico". O suco gástrico desse complexo estômago é a arte da dúvida e da crítica.

Sem a arte da dúvida e da crítica não é possível desenvolver o código do Eu como gestor do intelecto. A mente humana será um veículo sem direção. As crianças devem aprender a atuar em seu psiquismo por meio dessa arte.

Sem manipular a arte da dúvida, como filtrarão o padrão tirânico de beleza imposto por setores da mídia? Devemos estar cientes de que há cerca de 50 milhões de pessoas com anorexia nervosa nas sociedades modernas, morrendo de fome com alimentos sobre a mesa, pois não aprenderam a desenvolver esse filtro.

> *Quem tem medo das suas lágrimas nunca ensinará seus filhos a chorar. Quem tem medo das suas falhas nunca ensinará seus alunos a assumi-las.*
> A. Cury, em O mestre do amor

Lembro-me da jovem filha de um fazendeiro, que media cerca de 1,60m de altura e pesava menos de 30 quilos. Se perguntasse a ela porque não comia, dizia enfaticamente que era porque estava obesa. Não ouvia mais ninguém, não acreditava em nenhum médico, psicólogo e psiquiatra.

Sob o enfoque dos direitos humanos, ninguém é obrigado a produzir prova contra si mesmo. Por isso, as pessoas têm o direito de se calar diante de autoridades. Mas as zonas de conflitos alojadas no inconsciente produzem provas contra nós mesmos.

Produzem preconceitos doentios, crenças irracionais e autodestrutivas. Essa jovem se via obesa, feia, horrível, embora fosse magérrima e corresse risco de morrer por desnutrição. Não sabia que cada ser humano tem sua beleza.

Era escrava dos estímulos que emanavam do seu psiquismo. Não os impugnava, não os geria. O trabalho terapêutico foi enorme. Para tratar seu transtorno não bastava dar medicamentos ou usar técnicas psicoterapêuticas. Isso ela havia feito sem sucesso. Tinha que aprender a dar um choque de gestão em seu intelecto.

Tenho críticas ao sistema cartesiano, que estabelece uma linha unifocal, fechada, lógica, matemática, de pensar. O código da adaptação às adversidades, da tolerância, da solidariedade, da sensibilidade, do amor, da Intuição Criativa, ultrapassam os limites da linearidade lógica.

Quem é legalista consigo e com os outros, quem interpreta a lei ao pé da letra e julga com rigidez seus comportamentos e os dos outros, não tem flexibilidade ou sensibilidade, pois desconsidera as circunstâncias, o ambiente social, o estado emocional e a intenção do agente. Professores, pais, magistrados e líderes políticos que são assim causarão injustiças dramáticas. Quem é estritamente lógico e rígido em sua maneira de pensar e julgar está apto para dormir, conviver e se relacionar com máquinas, mas não com seres humanos.

Educamos muito mais pelo que somos do que pelo que falamos. Devemos educar sempre e, se necessário, usar as palavras.
A. Cury, em O código da inteligência

Todavia, apesar de criticar o sistema cartesiano de pensar e interpretar a vida e seus eventos, devo aplaudir o uso da dúvida por Descartes como ferramenta intelectual. René Descartes preconizava a dúvida como meio de raciocínio. Afirmava: *Cogito, ergo sum* (Penso, logo existo) (Descartes, 1981). A psicologia multifocal extrai esse pensamento filosófico e estabelece que "duvidar significa pensar", "duvidar freia o excesso de subjetivismo, filtra as falsas crenças".

O excesso de subjetivismo pode nos fazer perder os parâmetros da realidade. Milhões de pessoas estão alimentando suas depressões, fobias, anorexias nervosas, bulimias ou transtornos obsessivos pelo excesso de subjetivismo.

Medicamentos antidepressivos e tranquilizantes são importantes em um tratamento? Sim, quando necessário, mas eles não resolvem o excesso de subjetivismo, apenas o adormecem; não estruturam o Eu como gestor psíquico, apenas o silenciam.

O princípio da sabedoria na filosofia e na psicologia

O ser humano e as sociedades modernas em que ele está inserido precisam de dois grandes choques: um filosófico e um psicológico, que representam o choque da arte da dúvida e o da arte da crítica. Sem eles, não há como dar um choque de gestão na psique.

Comentei em outros livros que a dúvida é o princípio da sabedoria na filosofia. Diariamente, no silêncio de nossa mente, deveríamos duvidar de tudo que nos controla. Deveríamos gritar sem soltar a voz. Deveríamos protestar, questionar, arguir, inquirir e até nos rebelar contra todos os estímulos externos ou internos que nos aprisionam, imprimem dor desnecessária e geram instabilidade, desânimo, insegurança e insatisfação crônica. Mas onde se aprende a dar esse choque filosófico? É inacreditável como nos tornamos uma casta de pessoas passivas, submissas, frágeis, presas dentro de nós mesmos.

Quase todas as ditaduras foram derrubadas com revoluções, ainda que fosse a revolução das ideias, sem que se derramasse uma gota de sangue. Do mesmo modo a ditadura dos pensamentos mórbidos, do humor depressivo, não se resolve sem a revolução do Eu, sem que um Eu ativo se rebele contra o cárcere psíquico, contra a armadilha do coitadismo, contra a masmorra do conformismo. Mas somos treinados a ser servos no único lugar em que deveríamos ser senhores.

A crítica é o princípio da sabedoria na psicologia. Precisamos do choque psicológico no silêncio da mente, criticando, analisando, ponderando, aferindo, impugnando todos os estímulos sociais e psíquicos que nos controlam. É quase impossível sobreviver de forma saudável nessa sociedade agitada e consumista sem saturar o estômago psíquico de enzimas da arte da dúvida e da crítica.

As ideias são sementes. O maior favor que se pode
fazer às sementes é sepultá-las.
A. Cury, em *O vendedor de sonhos II – A missão*

Duvidar e criticar são ferramentas fundamentais para nos tornarmos atores ou atrizes principais do teatro psíquico. Sem a arte da dúvida, como questionaremos nosso roteiro, nosso estilo de vida, nossas ideias tolas? Sem a arte da crítica, como confrontaremos a ditadura do pensamento acelerado? Como gerenciaremos nossa agressividade e necessidade neurótica de poder?

Por meio da arte da dúvida e da crítica todos os paradigmas irracionais, os dogmas existenciais e os pensamentos destruidores que compramos por preço de verdade seriam filtrados pelo Eu.

O choque de gestão psíquica é um processo longo, mas fascinante. É tanto um processo educacional quanto psicoterapêutico. Mesmo pessoas que têm depressão, obsessão, síndrome do pânico e outros transtornos que se arrastam durante anos, se aprenderem a decifrar o código da gestão do intelecto, se usarem diariamente a arte da dúvida e da crítica, poderão dar um salto na expansão de sua saúde psíquica.

Esse salto tem possibilidade de ocorrer independente do tratamento que estejam fazendo, se com psicotrópicos e/ou com psicoterapia, seja psicanalítica ou cognitiva/comportamental.

O menino Jesus foi perseguido na infância. Na adolescência trabalhou com as ferramentas que um dia o matariam: madeira, martelo e pregos. Era de se esperar que sua personalidade fosse angustiada e ansiosa, mas, para assombro da psiquiatria, ao abrir a sua boca ao mundo, jamais se viu alguém tão alegre e generoso. Ele fez poesia no caos.
A. Cury, em *O mestre dos mestres*

Alguns fenômenos na base de nossa mente

Como dar um choque de gestão do intelecto, como fazer uma higiene psíquica, se as pessoas não tiveram a oportunidade de conhecer o funcionamento básico da mente humana? Esse é um grande entrave.

Vivemos em uma sociedade tão asfixiante que raramente as pessoas têm tempo de se interiorizar e fazer perguntas básicas sobre o funcionamento da própria mente: quais são os fenômenos que constroem os pensamentos? As ideias que nos angustiaram e desapareceram do palco psíquico deixaram de nos influenciar ou foram depositados nos bastidores da mente? Como arquivamos as experiências na memória? O registro é inconsciente e automático? Os traumas podem ser deletados? Se não podem ser deletados, podem ser reeditados? Mesmo nos cursos de psicologia essas perguntas fundamentais quase nunca são feitas.

Essas questões são tão básicas quanto aprender a comer e a andar, pois se referem à digestão psíquica e à caminhada existencial. Muitos nem ao menos sabem que se não usarem o filtro da arte da dúvida e da crítica nos primeiros cinco segundos em que os pensamentos negativos e as ideias mórbidas forem construídas, elas serão arquivadas e não poderão ser mais deletadas.

Diariamente, milhões de pessoas acumulam lixo psíquico sem saber e tentam deletar sua memória sem ter ciência de que é impossível apagá-la. Países cujas cidades acumulam lixos nas ruas e têm esgoto a céu aberto não têm cultura e higiene, mas em todos os países, em todas as classes sociais, as pessoas acumulam lixo psíquico.

Os milionários quiseram comprar a felicidade com seu dinheiro, os políticos quiseram conquistá-la com seu poder, as celebridades quiseram seduzi-la com sua fama. Mas ela não se deixou achar. Balbuciando aos ouvidos de todos, disse: "Eu me escondo nas coisas simples e anônimas..."
A. Cury, em *Você é insubstituível*

Por não conhecermos o processo de construção de pensamentos queremos reduzir a complexa memória humana a uma simples máquina computadorizada, onde se arquiva o que quiser e se deleta o que desejar.

Se pudéssemos deletar a memória, *quem* ou *o que* deletaríamos? Talvez perdas, falhas, vexames, sentimentos de culpa, medos, exclusões sofridas, colegas de trabalho insuportáveis, gerentes de bancos, filhos rebeldes, chefes injustos. Mas é impossível para o *Homo sapiens* atuar contra os arquivos da memória; eles estão superprotegidos, a não ser que haja um câncer cerebral, um trauma craniano gravíssimo ou uma degeneração no córtex.

Se tivéssemos o poder de deletar nossa memória, poderíamos cometer um suicídio psíquico, talvez deletaríamos a nós mesmos quando estivéssemos frustrados com nossas atitudes, reações, fracassos. Acabaríamos nos tornando um bebê sem qualquer consciência da existência, o que seria um desastre intelectual.

Os maiores enigmas do universo se encontram na mente de cada ser humano. Até quando somos complicados, dificultamos coisas e valorizamos o que não tem valor, refletimos nossa complexidade.
A. Cury, em *O futuro da humanidade*

O filtro das janelas light

Há pouco tempo, ministrei uma conferência para uma plateia de mais de 6 mil pessoas, constituída de educadores, psicólogos e outros profissionais, sobre o fascinante mundo da mente humana. Entre os diversos assuntos que discorri, falei da formação de traumas nas relações humanas. Discorri sobre a traição.

O leque das traições é amplo: traição sexual, amorosa e financeira; segredos não guardados, nomes usurpados, injustiças, expectativas não correspondidas. Disse aos meus ouvintes que os "inimigos" não traem, apenas causam decepções. Só os amigos traem. Pedi com respeito que todos que já tivessem traídos de alguma forma erguessem as mãos. A maioria corajosamente as levantou. Muitos foram vítimas de áridos traumas. Tinham capítulos existenciais marcados por janelas killer, gravadas em relevo na sua história. Muitos chafurdavam na lama da frustração, não podiam olhar na face de quem o traiu ou pensar no fato sem sentir grande desconforto.

O que fazer com essa fonte interior? Vimos que não dá para esquecer ou apagar as lembranças. A possibilidade que nos resta é reeditar a memória ou construir janelas paralelas, processo que descrevi no livro *12 semanas para mudar uma vida* (Cury, 2004).

Janelas paralelas são construídas a partir do autodiálogo, fazendo uma mesa-redonda com nossas tolices, nossa estupidez, nossos medos e pensamentos débeis. Mas quem dialoga sistematicamente com seus conflitos? Quem se reúne com seus medos e discute seus fundamentos e sua coerência? Quem se reúne com suas mazelas e faz com elas um debate lúcido? Somos treinados para administrar o ambiente exterior, mas não a fazer uma mesa-redonda usando o cardápio da arte da dúvida e da crítica para dar um choque de gestão em nossa mente, para construir janelas paralelas ao lado de janelas traumáticas. Por isso preservamos por décadas pequenos conflitos, que dirá os grandes.

Proteger a emoção passa por aprendermos a nos doar para os outros sem esperar demais a contrapartida do retorno. Se não tivermos grandes expectativas, tudo nos surpreenderá. Não se esqueça de que as maiores decepções são geradas pelos mais próximos.
A. Cury, em *Maria, a maior educadora da História*

Somos tão calados que achamos que é coisa de maluco falar consigo mesmo. Loucura é não admitir nossas "loucuras". Loucura é deixar de conversar francamente com elas. Quando os psicóticos falam consigo mesmos podem causar estranheza nos "pseudonormais", mas exercem um dos fenômenos saudáveis que lhes sobraram. Tentam conectar-se consigo mesmos, sair do cárcere da solidão, ainda que viajem em seus delírios e alucinações.

A mesa-redonda do Eu não é uma técnica positivista, mas psicodinâmica, histórica, filosófica, existencial. Ela promove a formação de janelas light, saudáveis, que contêm ousadia, autodeterminação, consciência crítica, segurança. Essas, por sua vez, se abrem simultaneamente quando uma janela traumática ou killer se abre, dando subsídios para sua superação.

Desse modo, o Eu deixa de ser marionete dos seus conflitos e exerce sua gestão psíquica. Se um motorista tem medo de dirigir um veículo porque se atormenta com imagens dos acidentes que poderá cometer, deverá enfrentar essas imagens, criticá-las, questioná-las; enfim, lhes dar um choque de lucidez intelectual. Então ele construirá janelas light que se abrirão quando estiver com as mãos no volante. As imagens mentais dramáticas serão minimizadas, digeridas, substituídas por imagens mentais lúcidas e pensamentos racionais.

Crenças falsas

Nada pode controlar tanto um ser humano quanto as crenças falsas. Crenças falsas se traduzem das mais diversas maneiras: dogmas religiosos, crendices, superstições, preconceitos, paradigmas científicos, verdades irreais. Todos nós temos algumas crenças falsas, mesmo as pessoas racionais.

Quem é mais inteligente não é quem tem mais cultura acadêmica, mas quem mais desenvolveu os códigos da inteligência, como pensar antes de reagir, gerenciar pensamentos, contemplar o belo, filtrar estímulos estressantes.
A. CURY, em *O código da inteligência*

Pelo menos 50% do potencial de um ser humano, seja ele um intelectual ou iletrado, professor ou aluno, é tolhido ou contraído pelas crenças falsas ao longo da vida. As crenças geram temores ou euforia desproporcionais. No campo dos temores, as crenças geram medo de conquistar, de escrever, de debater, de sonhar, de ousar, de caminhar, de produzir. No campo da euforia, as crenças geram delírio de grandeza, necessidade doentia de poder, necessidade neurótica de estar sempre certo, orgulho, egocentrismo, autossuficiência.

Muitos jovens têm crenças falsas que amordaçam sua inteligência. Acham-se incapazes de atingir seus sonhos, inábeis para superar suas limitações. Até pessoas invejadas culturalmente podem ter nichos intelectuais doentios.

Quem não critica o que crê não lapidará suas crenças, quem não lapida suas crenças será servo das suas verdades. E se suas verdades forem doentias, certamente será uma pessoa doente.

As crenças falsas estão na base das causas ou da perpetuação de muitos transtornos psíquicos. Toda vez que trato de pacientes com síndrome do pânico que passaram pelas mãos de outros psiquiatras e psicólogos, não apenas dou medicamentos e analiso o passado deles, mas peço que façam diariamente a técnica da mesa-redonda do Eu para debelar suas crenças falsas.

Estimulo-os a exercitar essa técnica fora do ambiente do consultório. É lá que suas crises aparecem, e não no ambiente controlado dos consultórios. É lá que seu Eu tem de ser ativo, dinâmico, autodeterminado, autoconsciente, líder de si mesmo. Caso contrário, além de não resolver em sua doença, eles correm o risco de ficar dependentes do terapeuta. Todas as correntes psicoterapêuticas e psiquiátricas podem usar a técnica da mesa-redonda do Eu com grandes benefícios.

O maior desafio do ser humano é abrir o leque da sua memória nos focos de estresse para poder construir respostas inteligentes em situações em que muitos não conseguiriam pensar.
A. Cury, em A sabedoria nossa de cada dia

Para mim, a psicoterapia não deveria ser apenas um processo de tratamento de doentes, mas também um processo de formação de pensadores. Os pacientes deveriam ter como alvo não apenas resolver sua doença, mas tornar-se melhor do que eram antes de desencadeá-la: mais generosos, criativos, altruístas, afetivos.

Explico-lhes o processo de construção de janelas paralelas e outros fenômenos que estão nos alicerces do funcionamento da mente. Encorajo-os a questionar, a perguntar e a confrontar suas crises, em especial as ideias que alimentam os ataques de pânico, como os ligados à morte, ao desmaio, à perda do autocontrole, bem como às causas que desencadeiam a síndrome.

Assim, esses pacientes saem da condição de espectadores passivos de sua doença e começam a desenvolver o espetáculo da arte da dúvida e da crítica: "Quem sou? O que sou? Quais os fundamentos do meu pânico? Por que me entrego? Como devo assumir meu papel de gestor psíquico?"

A mesa-redonda implode a armadilha do conformismo. Deve ser feita antes, durante e depois das crises, mas especialmente antes e depois, quando as janelas killer estão fechadas; ou seja, fora do momento de pânico, das reações fóbicas, da timidez, da insegurança, das crises depressivas.

---

*Muitos querem os perfumes das flores, mas poucos se
atrevem a sujar suas mãos para cultivá-las.*
A. Cury, em *O mestre do amor*

O objetivo fundamental do tratamento é construir zonas light, janelas paralelas no psiquismo que darão suporte para que o Eu tenha serenidade em situações tensas e coerência em crises em que é difícil raciocinar. Essas janelas paralelas funcionarão como filtros do medo e das fantasias durante as crises.

Nós, psicoterapeutas e psiquiatras, usamos diversas técnicas dependendo da teoria que abraçamos. Mas, no fundo, se um paciente resolveu seu conflito com sucesso, é porque decifrou o código do Eu como gestor psíquico ou pelo menos construiu janelas paralelas ou reeditou as janelas traumáticas.

Estudar esses fenômenos nos faz entender por que o *Homo sapiens* é o *"Homo paradoxal"*. Ao mesmo tempo que faz guerras, discrimina e assassina, também cultiva flores, faz arte, chora pela dor dos outros. Pessoas que não têm janelas paralelas em quantidade e qualidade significativas podem ser delicadas em um momento e violentas em outro.

Entristeço-me pelo fato de a psiquiatria e a psicologia dos últimos cem anos terem investido enorme esforço no tratamento dos transtornos psíquicos, mas pouquíssimo em prevenção.

Como poderemos prevenir conflitos psíquicos e sociais se nosso Eu é um tímido gestor intelectual? Como podemos dar um choque de lucidez em nossas mentes se não usarmos a arte da dúvida e da crítica? Infelizmente nos tornamos especialistas em gerir o mundo em que estamos, e não o mundo que somos. Somos uma sociedade doente que tem formado pessoas doentes.

O filme do inconsciente

Aprendemos sobre a construção das janelas paralelas saudáveis ao lado das zonas de conflito, agora precisamos entender que a gestão psíquica também reedita as zonas de conflitos. Todo cineasta filma centenas de horas e depois as edita para fazer um longa-metragem de apenas duas. A reedição do filme do inconsciente não implica cortar cenas nem apagar imagens, mas inserir novos contextos, novas mensagens nas zonas de conflitos.

> *Todos fecham seus olhos quando morrem, mas nem todos enxergam quando estão vivos.*
> A. Cury, em *O futuro da humanidade*

Enfatizo que, toda vez que for necessário recorrer a um tratamento psiquiátrico ou psicoterapêutico, deve-se fazê-lo sem culpa ou medo. Infelizmente, devido ao alto custo financeiro, nem sempre tratamento é acessível.

Após anos de experiência clínica, estou convicto de que não é possível reeditar todos os traumas e conflitos das milhares de janelas killer ou zonas de conflito do passado. No entanto, construí-las é mais fácil do que imaginamos. Lembre-se de que o arquivo de experiências é automático.

Costumamos arquivar milhares de experiências saudáveis e, por vezes, doentias. Após o nascimento, esse processo se acelera. O desconforto do berço, a fome não saciada na hora certa e as cólicas intestinais são fontes de estresse. Em muitos casos, não chegam a formar janelas killer com conflitos bloqueadores, mas são zonas de tensões que guardam traumas. Junto com a carga genética, a qualidade e a quantidade dessas zonas de tensão definirão as características de personalidade, o grau de timidez, de segurança, de prazer, de irritabilidade e de criatividade.

O córtex cerebral tem milhões de janelas com trilhões de experiências arquivadas desde a aurora da vida fetal. Não sabemos onde estão as janelas doentias nem quantas são. Só conseguimos detectar com nosso sistema sensorial comportamentos doentios – e ainda assim com limitações.

Se não é possível reeditar todo o filme do inconsciente, devemos pelo menos reeditar as zonas de conflito que mais influenciam o adoecimento psíquico, as janelas killer que mais causam flutuação emocional, depressão, angústias, fobias.

Para isso devemos agir no foco de tensão, no momento em que a janela killer está aberta, no epicentro da crise. Repare que esse processo é diferente do da construção de janelas paralelas. No exato momento em que uma reação fóbica ou uma imagem mental destrutiva surgir a partir da zona de conflito aberta, o Eu deve rapidamente agir, criticar, arguir, examinar; enfim, bombardear com inteligência a zona de conflito com os mesmos questionamentos que propus na mesa-redonda do Eu.

Desse modo, a mesa-redonda realizada fora da crise constrói janelas paralelas e, dentro dela, reedita a janela doentia. O mais importante nesse processo é criar o que chamo de *plataforma de janelas saudáveis*. Essa plataforma deve ser suficientemente extensa para nos dar condições psíquicas e sociais para vivermos com dignidade.

Há duas maneiras de fazer uma fogueira, uma com a madeira seca e outra com a semente. Os que preferem a madeira seca logo se aquecem e o frio retorna. Os que plantam sementes colhem uma floresta e nunca lhes faltará madeira para se aquecer.
A. CURY, em *12 semanas para mudar uma vida*

Metaforicamente, o inconsciente é como uma complexa metrópole, com inúmeros bairros, ruas, avenidas, praças. O inconsciente doente é como uma cidade com ruas esburacadas, mal-iluminadas, com supermercados depredados, teatros vazios.

Aqui temos um grande ensinamento. Uma pessoa que sofreu abusos sexuais, privações, perdas, violências sociais, foi vítima de guerras ou de ataques terroristas não precisa reurbanizar toda a cidade da sua psique para torná-la habitável. Caso contrário, a vida seria completamente injusta, e ela talvez nunca ficasse livre de todas as zonas traumáticas, nunca exercesse o direito de ser feliz, livre, tranquila.

Com a reurbanização de um bairro importante, já é possível sobreviver – ainda que em alguns momentos visite bairros doentios e tenha breves recaídas, como humor triste, ansiedade, temores. Ninguém precisa ser plenamente saudável em todas as áreas do inconsciente para ser alegre, lúcido, produtivo. Até porque não existe ninguém plenamente saudável, nem o mais ilustre dos psiquiatras. Notem que muitas pessoas são produtivas apesar de obsessivas, fóbicas e inseguras.

A grande cidade psíquica não é perfeita, mas podemos construir bairros agradabilíssimos dentro dela. Um executivo deve construir um bairro confortável no meio da vida agitada, deve investir nos próprios sonhos; caso contrário, viverá miseravelmente.

Quando entramos em bairros psíquicos "depredados", quando recaímos, não devemos nos punir, desistir, culpar e achar que o conflito retornou em toda a sua plenitude. Por não conhecermos o funcionamento da mente e o processo de formação de janelas paralelas, além da reedição do inconsciente, as recaídas – no uso de drogas, na depressão, na fobia social, nos ataques de pânico, por exemplo – tornam-se um desastre para pacientes e geram desespero em alguns terapeutas.

Quando Judas beijou Jesus, era de se esperar que este fosse controlado pelo ódio ou pelo medo, mas abriu as janelas da sua mente e perguntou: "Amigo, para que vieste?" Jamais uma pessoa traída tratou com tanta dignidade seu traidor! Não tinha medo de ser traído, mas de perder um amigo.
A. Cury, em O mestre inesquecível

As recaídas deveriam ser encaradas como oportunidades preciosas para se reconstruir, e não para se punir, reeditar zonas de conflitos que nunca foram reurbanizadas. Refiro-me a recaídas espontâneas, ocorridas com pessoas empenhadas em ser gestoras da sua psique, agentes modificadores da sua história.

Pane psíquica no avião

Há algumas semanas, um empresário bem-sucedido me procurou. É uma pessoa lúcida, empreendedora, generosa, mas sentia-se limitado por ter desenvolvido pavor de voar. Há dois anos teve uma crise dentro do avião. Sentiu que ia morrer: o coração começou a palpitar, os pulmões ofegantes pareciam não captar mais ar. Foram os piores momentos de sua vida, segundo ele.

Chamou a comissária de bordo, mas o medo não aliviou. Queria que o avião pousasse, mas não havia como. Ficou mais de uma hora em desespero até a aterrissagem. Teve uma crise de pânico. Nunca mais voou.

Mas precisava viajar para realizar seus negócios. Como vencer essa zona de conflito? Conseguia enfrentar tudo, menos a possibilidade de repetir seu drama.

> *Quando Pedro negou Jesus pela terceira vez,
> os olhares deles se cruzaram. Ao negá-lo, Pedro proclamou
> altissonante que não o conhecia, mas, ao olhá-lo,
> Jesus gritou sem voz: "Eu o compreendo!"
> Nunca na história o silêncio foi tão eloquente...*
> A. Cury, em O mestre do amor

O homem fez duas viagens a trabalho, percorrendo mais de 4 mil quilômetros de carro em cada, só para fugir do avião. Médicos e amigos tentaram ajudá-lo, sem êxito. Um dia, visitando um amigo em outra cidade, recebeu a informação de que precisava retornar às pressas para casa. O amigo o colocou dentro de seu avião particular. Quando os motores foram acionados, o mesmo aconteceu com o "motor" da janela killer, gerando um turbilhão emocional incontrolável. Não conseguiu voar.

Quando o atendi, expliquei como deveria decifrar o código da gestão psíquica do Eu, como fazer a mesa-redonda e reeditar as matrizes do inconsciente. No mesmo dia, ele começou a dar um choque filosófico e psicológico em sua mente, usou a arte da dúvida e da crítica. Não tive mais tempo de atendê-lo, mas bastou uma consulta para que reescrevesse sua história.

Quinze dias depois, fez uma viagem internacional. E foi testado nesse voo. Na ida, o avião entrou em pane. Ele teve uma pequena recaída, mas durou apenas alguns minutos. Aproveitou a oportunidade para reeditar as imagens e deixar de ser marionete dos fantasmas que se alojavam em seu inconsciente. Depois disso, encontrei-o feliz, seguro; o encanto pela vida retornou. Está em processo de franca superação.

O grande paradoxo: higiene física versus higiene mental

As estatísticas psiquiátricas evidenciam que quanto mais o tempo passa, mais chances temos de desenvolver transtornos psíquicos. Ao contrário do que o senso comum pensa, o tempo não nos faz amadurecer. O acúmulo de experiências dolorosas só nos torna maduros se aprendemos a decifrar os códigos da inteligência.

Sem decifrá-los, a trajetória espontânea de um ser humano, em tese, é a seguinte: a criança será mais alegre e saudável do que quando for adolescente, o adolescente será mais feliz do que quando for adulto, e o adulto será mais realizado do que quando for um idoso. Compare os níveis de alegria e espontaneidade que você tem hoje com os tempos ingênuos da infância.

Uma pessoa inteligente aprende com seus erros,
uma pessoa sábia aprende com os erros dos outros.
A. Cury, em *Dez leis para ser feliz*

Notem que, quando mais jovens, pequenos estímulos resgatavam nosso sorriso, as preocupações não nos controlavam, o mundo parecia um horizonte de prazer a ser descoberto. Hoje somos mais sérios, sisudos, insatisfeitos, complicados, exigentes. Talvez nem nossas conquistas nos excitem.

Se um sujeito não toma banho por alguns dias, seu odor o denuncia. Se não escova os dentes após algumas refeições, seu hálito também o acusará. Mas se acumular material putrefato em seu psiquismo, quem perceberá? Nosso "olfato" psíquico não é treinado para perceber os traumas invisíveis, a não ser quando os sintomas se evidenciam.

Ninguém imagina o drama de pessoas à beira do suicídio. Outras pessoas angustiam-se por seus sintomas psicossomáticos, mas aqueles que estão de fora não compreendem o que a imagem não acusa. E, o que é pior, atiram pedras sem compaixão.

Infelizmente algumas pessoas só entenderão o drama de um conflito psíquico quando penetrarem nos seus vales. São superficiais porque vivem em uma sociedade artificial, que não decifra nem treina as funções mais importantes da inteligência.

Muitos casais se destroem porque nunca tiveram habilidades para decifrar as mágoas que não foram discutidas. Muitos professores consideraram seus alunos insuportáveis sem decifrar o drama escondido em seus comportamentos. Se não aprendermos a ser gestores da psique, bem como a decifrar o código do altruísmo, do carisma, da intuição criativa e da resiliência, seremos ávidos para punir a nós mesmos e os outros. A existência poderá ser um jardim de pesadelos, e não de aventuras.

O maior favor que se faz a um inimigo é odiá-lo. Ao odiá-lo,
ele será arquivado de maneira privilegiada em
nossa psique. Desse modo dormirá conosco e perturbará
nosso sono, comerá conosco e estragará nosso apetite.
A. CURY, em *12 semanas para mudar uma vida*

Possíveis consequências de quem decifra
o código do Eu como gestor do intelecto:

1. Preserva a saúde psíquica.
2. Torna-se cada vez mais tranquilo e sereno ao longo do tempo.
3. Tem órbita própria, não gravita na órbita dos pensamentos e ideias perturbadoras nem dos acidentes sociais.
4. Não é escravo do seu passado nem do seu presente, muito menos do que os outros pensam e falam sobre ele.
5. Valoriza sua qualidade de vida mais do que o dinheiro.

Possíveis consequências de quem não o decifra:

1. Propensão ao desenvolvimento de depressão e doenças ansiosas.
2. Propensão para desenvolver uma personalidade irritadiça, inquieta e cronicamente insatisfeita.
3. Sensação de estar por um fio devido aos sintomas psicossomáticos.
4. Dificuldade de se entregar e confiar nas pessoas, pois o medo de se decepcionar ou ser traído o controla.
5. Possibilidade de viver estes paradoxos: ser financeiramente rico, mas psiquicamente miserável; ter cultura, mas ser um frágil gestor de si mesmo.

Decifrando o código do Eu como gestor do intelecto: exercícios

1. Gaste pelo menos dez minutos passeando dentro de si mesmo ou alguns minutos várias vezes ao dia para fazer uma mesa-redonda com seus medos, ansiedades, preocupações, angústias, estilo de vida.
2. Confronte cada pensamento negativo pela arte da crítica e da dúvida no exato momento em que ele surgir. Concentre-se em pensar, refletir, questionar e até impugnar e protestar contra cada ideia perturbadora ou estímulo estressante que asfixia o prazer e a tranquilidade.
3. Aprenda a conservar o senso de espaço ou propriedade psíquica. Ninguém pode invadir esse espaço sem que você permita.
4. Pergunte-se sempre: quem sou, onde estou, o que sou, o que quero, qual meu papel enquanto ser humano e ser social.
5. Cuide da psique como a mais importante empresa, a única que não pode falir.

Capítulo 11

Segundo código da inteligência: *código da autocrítica – pensar nas consequências dos comportamentos*

O código da autocrítica é o código de quem se autoavalia, pondera seus atos, julga seus comportamentos, ajusta-se, autocorrige-se, reflete sobre suas reações, conjetura consigo mesmo.

É o código que nos faz sair da esfera do endeusamento para a da humanidade. É a postura madura de quem analisa seu papel como ser humano, educador, consócio, profissional. Portanto, o código da autocrítica vai muito além da consciência superficial das próprias falhas. Até um psicopata tem essa consciência, mas não muda. É o segredo de quem pensa nas consequências do próprio comportamento, de quem é fiel à sua consciência e imprime energia para transformar suas rotas.

Quem decifra esse código se localiza no eixo tempo-espacial-existencial, e não apenas no tempo-espaço – os parâmetros da teoria da relatividade. Sabe que a vida é brevíssima para viver, mas longuíssima para cometer injustiças, tropeçar, falhar e desenvolver conflitos.

Muitos jovens hoje em dia estão banindo o código da autocrítica do seu dicionário existencial, não pensam antes de reagir nem nos resultados dos seus atos. O nível de ansiedade impresso pela sociedade de consumo não tem propiciado clima para que os jovens aprendam a se interiorizar, a expandir os níveis de autocrítica. Vivem porque estão vivendo, não se assombram com os mistérios que cercam o fenômeno da existência.

Casais apaixonados se magoam se não decifrarem a capacidade de pensar nas consequências de seus atos. Executivos abortam o trabalho em equipe e educadores comprometem a formação da personalidade de filhos e alunos sem pensar no impacto psíquico de seus gestos. Pessoas brilhantes terão futuro sem brilho se não pensarem nos seus atos.

Nossos comportamentos são sementes. As sementes são diminutas, frágeis, mas podem gerar enorme impacto, sejam imediatamente ou no futuro. Pensar nas consequências dos comportamentos é a base para a construção de um futuro saudável alicerçado em um presente saudável.

Quem almeja decifrar o código da autocrítica deve levar em consideração as seguintes observações:

1. Quem gasta compulsivamente no presente poderá se angustiar no futuro.
2. Quem acha que o sucesso é eterno poderá se deprimir ao descobri-lo mais efêmero do que se imagina.
3. Quem se sufoca de atividades achando que sua saúde é de ferro poderá surpreender-se quando seu corpo entrar em colapso.
4. Quem leva os estudos na brincadeira se surpreenderá ao descobrir que perdeu os melhores anos para se preparar para uma sociedade que exclui os que não levam a vida a sério.
5. Quem acha que o amor dura para sempre e não se preocupa em cultivá-lo poderá se assustar quando o parceiro perder o encanto e pedir o divórcio.

Palavras baixas que repercutem alto

Nós influenciamos os outros muito mais pelo que expressamos de forma espontânea do que pelo que falamos diretivamente. Não temos consciência de que existe uma excelente máquina de fotografar em nossa mente: o fenômeno RAM – registro automático da memória. Esse fenômeno fotografa centenas de reações espontâneas que transmitimos. E arquiva em destaque tudo o que tem grande volume emocional.

Por que reproduzimos na vida adulta os comportamentos que mais desaprovávamos em nossos pais quando éramos crianças? Porque os arquivamos contínua e prolongadamente. Como não aprendemos a desenvolver um filtro psíquico, construímos inúmeras janelas doentias que teceram a colcha de retalhos de nossa personalidade.

A maneira como enfrentamos as dificuldades, suportamos as perdas, lidamos com as contrariedades, reagimos à vida, é registrada pelas pessoas que nos rodeiam, principalmente crianças e adolescentes.

Quem pensa nas consequências dos seus gestos sabe que as pessoas nos respeitam muito mais pela imagem que construímos dentro delas do que pelas palavras que proferimos. A imagem psíquica que o outro constrói de nós determina o grau de admiração que ele terá, o que, por sua vez, define o impacto dos nossos atos em sua vida.

O grau de admiração dá o tom do eco psíquico. Um pai admirado pelo filho poderá falar baixo com ele, mas o eco será grande. Será ouvido. Um pai que não é admirado poderá gritar, mas seu eco será pequeno. Sua atitude gerará uma invasão de privacidade, que inquietará, incomodará, mas não educará.

Decifrar o código e sua estratégia

"Meu filho não me ama, doutor. Sinto que não passo de uma conta bancária. Se fosse pobre, seria abandonado, não teria nenhum valor para ele." Quantos pais pensam isso sobre os filhos? Ser explorado pelos de fora é difícil de suportar, mas pelos de dentro é pior ainda. Os filhos com frequência não são culpados por esses comportamentos nem os pais deveriam procurar um culpado. Uma pessoa que decifra o código da autocrítica não lamenta o passado, procura construir seu futuro.

Não é fácil refazer uma imagem nos solos do inconsciente, em especial quando já está distorcida. Mas é possível. É necessário usar estratégias para provocar o fenômeno RAM. Nas relações entre casais e entre colegas de trabalho, o mesmo princípio deve ser aplicado.

O ser humano moderno se tornou um gigante na ciência, mas é um frágil menino em sua psique. Não sabe navegar nas águas da emoção nem percorrer as avenidas mais íntimas de sua própria personalidade.
A. Cury, em *Você é insubstituível*

Nessa estratégia, velhos comportamentos precisam ser reciclados. Uma pessoa só se torna grande se ela se faz pequena para se tornar grande dentro de quem ama. Jamais peça que alguém o ame. Jamais peça que alguém o admire. Amor, admiração e respeito são construídos sem pressão, no solo insubstituível da liberdade. São frutos de imagens formadas nas janelas mais íntimas do inconsciente.

Pedir e suplicar são atitudes humilhantes que apenas funcionam temporariamente. O amor e a admiração só têm profundidade se forem espontâneos, caso contrário produzem servos, e não pessoas com livre-arbítrio.

O código da autocrítica nos faz construir estratégias para decifrar o código do amor e da admiração. Quem quer decifrá-lo deve aplicar as seguintes ferramentas:

1. Elogie sempre antes de criticar ou apontar um erro. Primeiro conquiste o território da emoção, depois o da razão.
2. Tenha reações generosas e surpreendentes.
3. Fale menos e aja mais. Economize argumentos.
4. Humanize-se. Revele capítulos de sua vida. Divida suas lágrimas, seus dias mais difíceis, suas aventuras.
5. Descubra quem você ama. Interesse-se pelos interesses do outro, pergunte sobre as dificuldades, mostre preocupação com o parceiro.

6. Se tiver necessidade de ser perfeito, de se defender compulsivamente e de estar sempre certo, recicle-se, pois isso destrói relacionamentos. Você pode ganhar o debate, mas perderá a pessoa amada.

Estou convicto de que a maioria das correções que fazemos não educam nossos filhos, alunos, cônjuge, amigos; geram invasão de privacidade, e não amadurecimento. Nossas atitudes pioram a imagem de nós que o outro tem na mente quando não pensamos no impacto de nossos atos.

Os membros da família moderna tornaram-se um grupo de estranhos, tão próximos fisicamente, mas tão distantes interiormente.
A. Cury, em *Pais brilhantes, professores fascinantes*

Há brilhantes psiquiatras, psicólogos, advogados, médicos, executivos, que não são admirados pelos filhos. Querem impor o respeito com pressões, sermões, advertências e conselhos repetitivos. Não entendem que o fenômeno RAM constrói em seus filhos uma imagem destituída de admiração.

O medo saudável

O código da autocrítica não afasta todos os tipos de medo, pois sabe que alguns são imprescindíveis. Parece estranho dizer que há um medo saudável no teatro psíquico, mas ele existe e se faz necessário para preservar a vida. Não tê-lo é o melhor caminho para a autodestruição.

O medo só se torna uma fobia ou transtorno psíquico quando a reação é desproporcional ao objeto fóbico.

Uma pessoa que tem cultura e competência intelectual para expressar suas ideias, mas bloqueia sua coerência e lucidez quando diante de uma plateia acolhedora, tem uma reação desproporcional ao nível de ameaça do objeto aversivo, no caso o ambiente. Portanto, tem um transtorno psíquico chamado de fobia social.

Uma mulher que dá um escândalo por causa de um inseto perde o autocontrole, tem uma reação superdimensionada em relação ao grau de ameaça do objeto fóbico, um transtorno chamado de fobia simples.

Uma pessoa que tem pavor de altura não pode se aproximar da sacada de um prédio, pois entra em crise, tem taquicardia, agitação emocional, sensação de atração fatal pelo espaço vazio. Isso tudo se deve a um transtorno chamado de acrofobia.

Do mesmo modo, pessoas com pavor de situações novas, desafios futuros, provas escolares, elevadores, voar, dirigir, andar por lugares movimentados e contaminar-se também têm transtornos fóbicos. Todas essas reações são desproporcionais ao grau de ameaça dos objetos do medo. A reação é produzida por traumas arquivados nas zonas de conflitos, e não pelo objeto concreto.

> *Falamos com o mundo via internet, mas temos grandes dificuldades de falar com nós mesmos. Dominamos tecnologia para viajar para os planetas, mas não para conquistar os espaços onde nascem a timidez, a ansiedade, o medo, as frustrações.*
> A. CURY, em *Seja líder de si mesmo*

A maioria das fobias não causa limitações significativas ao seu portador, porque só são desencadeadas quando diante do estímulo estressante. O objeto fóbico detona um gatilho inconsciente que abre uma zona de conflito, fazendo os fantasmas arquivados no inconsciente (morte, ferimentos, ameaças) se encenarem na mente humana. Fora do locus dos objetos fóbicos, essas pessoas podem ser serenas, afetivas e lúcidas.

Excetuando-se casos fóbicos como esses, os medos costumam ser saudáveis e imprescindíveis. Neste caso, não se produz uma reação desproporcional ao objeto do medo. O medo é fruto da capacidade de pensar nas consequências dos comportamentos.

Se uma pessoa teme dirigir em alta velocidade por causa do risco de sofrer um acidente, ficar paralítica ou morrer, seu medo é saudável, não superdimensionado, a não ser que a impeça de dirigir. Não ter tal medo é ser autodestrutivo. Milhares de vidas seriam preservadas se o medo instintivo não tivesse sido esfacelado na juventude, como o de ser dependente de uma droga.

Por trás de uma pessoa que fere há uma pessoa ferida. Ninguém nos machuca se antes não foi machucado pela vida. A tolerância nasce no solo desse pensamento.
A. Cury, em *Superando o cárcere da emoção*

Se uma pessoa sabe que o sucesso financeiro ou artístico pode levá-la a esquecer suas origens, e se um dia atingir tal sucesso e tiver medo de se endeusar, de perder sua simplicidade, bem como o valor das coisas pequenas, seu medo é saudável. Se as celebridades políticas e artísticas tivessem medo de perder suas origens, teríamos mais seres humanos e menos deuses, mais júbilo e menos depressão.

O medo de não realizar seus projetos, de perder o emprego, os amigos e o parceiro, pode ser saudável, gerar reflexões, mudanças de estilo de vida, desde que não seja intenso nem bloqueie a liberdade de ser, pensar e agir.

O instinto do medo que promove o prolongamento e a qualidade de vida é fundamental para os mortais. Jovens e adultos cronicamente insatisfeitos e ansiosos colocam sua vida em risco com facilidade para ter migalhas de prazer. Sem esse medo, os atos terroristas se multiplicam, as ideias se tornam mais importantes que a vida, a religião e a ideologia se tornam mais significativas que a existência.

Pensar antes de reagir

Pensar antes de reagir é uma das ferramentas mais nobres de quem decifra os mais altos níveis do código da autocrítica. Nos primeiros trinta segundos de tensão, cometemos os maiores erros de nossa vida, falamos palavras e fazemos gestos que jamais deveríamos expressar diante das pessoas que amamos.

Nesse rápido intervalo, somos controlados pelas zonas de conflitos que bloqueiam milhares de outras janelas, impedindo o acesso a informações que nos subsidiariam a serenidade, a coerência intelectual, o raciocínio crítico.

Todos temos uma criança alegre, curiosa, vivaz, dentro de nós, mas poucos a deixam respirar. Envelhecemos rapidamente no único lugar em que deveríamos sempre ser jovens.
A. Cury, em *Revolucione sua qualidade de vida*

Um intelectual pode dar uma conferência brilhante e responder a todas as perguntas da plateia com maestria, mas, quando um colega de trabalho questiona algo que o contraria, pode perder a serenidade da resposta e reagir sem elegância.

Um médico pode ser muito tolerante com as queixas dos pacientes, mas muitíssimo impaciente com as reclamações de seus filhos. Pensa antes de reagir diante de estranhos, mas não diante de quem ama. Não sabe fazer a oração dos sábios nos focos de tensão, o silêncio. Só o silêncio preserva a sabedoria quando somos ameaçados, criticados, injustiçados.

Se vivermos debaixo da ditadura da resposta, da necessidade compulsiva de reagir quando pressionados, cometeremos erros, alguns muito graves. Vivemos em uma sociedade barulhenta, que detesta o silêncio. Cada vez mais percebo que as pessoas estão perdendo o prazer de silenciar, de se interiorizar, de refletir, de meditar.

O que estou propondo é o silêncio filosófico. O silêncio não é segurar para não explodir, mas o respeito pela própria inteligência. É o respeito pela própria liberdade, a liberdade de se obrigar a reagir em situações estressantes. Quem faz a oração dos sábios não é escravo do binômio do bateu-levou.

Quem bate no peito e diz que não leva desaforo para casa não decifrou o código de pensar nas consequências de seus atos. Quem se orgulha de dizer tudo o que pensa machuca quem mais deveria ser amado. Não decifrou a linguagem do autocontrole.

Não existem relações perfeitas. Não existem almas gêmeas, que tenham os mesmos gostos, pensamentos e opiniões o tempo todo – a não ser nos filmes. Decepções fazem parte do cardápio das melhores relações. Nele, precisamos do tempero do silêncio para preparar o molho da tolerância.

Devemos pensar como adulto e sentir como criança.
Quem inverte esses valores nunca atinge a maturidade.
A. Cury, em *Treinando a emoção para ser feliz*

Para conviver com máquinas, não precisamos do silêncio nem da tolerância; para interagir com seres humanos, elas são fundamentais. Ambas são frutos nobres do código da autocrítica, da capacidade de pensar antes de reagir. Preservam a saúde psíquica, a consciência, a tranquilidade.

O silêncio e a tolerância são o vinho dos fortes, a reação impulsiva é a embriaguez dos fracos. O silêncio e a tolerância são as armas de quem pensa, a reação instintiva, a arma de quem não pensa. É muito melhor ser lento no pensar do que rápido em machucar.

É preferível conviver com uma pessoa simples, sem cultura acadêmica mas tolerante, a com um ser humano culto e cheio de radicalismo, egocentrismo, estrelismo. Sabedoria e autocrítica não se aprendem nos bancos de uma escola, mas no traçado da existência.

Possíveis consequências de quem decifra o
código da autocrítica ou pensa nas consequências
dos seus comportamentos:

1. Torna-se uma pessoa admirável, agradável, serena, ponderada.
2. Expande os níveis de paciência e tranquilidade.
3. Contribui para formar pessoas com personalidades sadias e íntimas da arte de pensar.
4. Cria uma rede de relacionamentos com as pessoas próximas.
5. Transita com suavidade nas relações sociais turbulentas.

Possíveis consequências de quem não o decifra:

1. Desenvolve irritabilidade, inquietação, baixo limiar de suportabilidade ao estresse.
2. Diminui os níveis de solidariedade, compaixão, generosidade.
3. Desenvolve impulsividade, reação exacerbada e descontrole diante de pequenos estímulos.
4. Fere a pessoa amada, influencia negativamente o processo de formação da personalidade.
5. Compra comportamentos estúpidos dos outros e paga caro por eles. Tem atitude ingênua perante a vida.

Decifrando o código da autocrítica: exercícios

1. Pratique o Stop Introspectivo: pare e pense antes de reagir. Seja sempre fiel à sua consciência.
2. Pratique a oração dos sábios: o silêncio. Não se submeta à ditadura da resposta nem sinta a necessidade neurótica de reagir.
3. Não viva em função do binômio estímulo-resposta ou da atitude bateu-levou. Saiba que esse instinto é animalesco e destrutivo.

4. Não seja escravo do que os outros pensam e falam de você.
5. Humanize-se nas relações sociais. Não conquiste o temor, mas o amor e a admiração das pessoas próximas. Provoque estrategicamente o fenômeno RAM com imagens surpreendentes.

Capítulo 12

Terceiro código da inteligência: *código da psicoadaptação ou da resiliência — capacidade de sobreviver às intempéries da existência*

Resiliência é a capacidade de um material de suportar tensões, pressões, intempéries, adversidades. É a capacidade de se esticar, assumir formas e contornos para manter sua integridade, preservar sua anatomia, manter sua essência.

Transportado para a psicologia, o termo com frequência é atribuído a processos que explicam a "superação" de crises e adversidades em indivíduos, grupos e organizações (Yunes & Szymanski, 2001: Tavares, 2001). É um conceito relativamente novo no campo da psicologia e que tem sido debatido com vigor pela comunidade científica.

Na Psicologia Multifocal — que tem base analítica e cognitiva, e ultrapassa os limites da psicologia positiva —, adotei o termo devido à sua magnitude. Entre os códigos mais notáveis da inteligência está o da psicoadaptação, que reflete a capacidade de suportar dor, transcender obstáculos, administrar conflitos, contornar entraves, adaptar-se às mudanças psicossociais.

O fenômeno da psicoadaptação gera o código da resiliência. Tenho estudado e escrito sobre o fenômeno da psicoadaptação há mais de vinte anos, e o termo só começou a ser adotado sistematicamente a partir de 1998. O grau de resiliência depende, portanto, do grau de adaptabilidade e da capacidade de superação de um ser humano aos eventos adversos que encontra em seu traçado existencial, em sua jornada de vida.

Uma pessoa cujo baixo grau de resiliência suporta inadequadamente suas adversidades e crises pode desencadear depressão, pânico, ansiedade e sintomas psicossomáticos. Quando o código da resiliência é decifrado e desenvolvido de forma inadequada, as dores e as perdas podem levar ao suicídio. Há o suicídio imaginário (desejo de sumir, desejo de dormir e não acordar mais), o suicídio físico e o suicídio psíquico (alcoolismo, dependência de outras drogas, comportamentos autodestrutivos, autoabandono).

Sem dúvida há crises e crises. Algumas são dramáticas, imprimem dor indizível. Mas a todas elas se pode aplicar o código da resiliência, que, por sua vez, está estreitamente ligado ao código da gestão do intelecto, em especial à gestão de pensamentos mórbidos, à construção de janelas paralelas e à reedição do inconsciente.

Um choque de gestão do intelecto capaz de esfacelar o pessimismo e irrigar de esperança os horizontes da vida é fundamental para alicerçar habilidades psíquicas e suportar tensões emocionais, pressões sociais, adversidades profissionais, etc.

Hiperatividade, ansiedade e SPA

A capacidade de se adaptar e superar os eventos da vida dependem mais de aprendizado que de carga genética. O aprendizado pode ser espontâneo ou promovido pela educação, algo muito difícil nessa sociedade superficial que nos prepara apenas para o sucesso.

Apesar de o código da resilisência ser decifrado pelo aprendizado, uma pessoa hiperativa, ansiosa e irritadiça pode ter mais dificuldade de se psicoadaptar às adversidades.

Do mesmo modo, uma pessoa com a SPA tem mais dificuldade de elaborar perdas, administrar decepções, refletir sobre falhas. Notem que as crianças agitadas repetem os mesmos erros com frequência. Mas jamais podemos nos esquecer de que os hiperativos, os ansiosos e os portadores da SPA poderão desenvolver grandes habilidades resilientes se desenvolverem os códigos da inteligência.

O grande problema é que o sistema educacional é falho e superficial. As escolas ensinam as crianças e os jovens a estudar o imenso espaço que nunca pisarão, mas não os terrenos das perdas, das crises, dos desafios e das contrariedades existenciais. Mesmo as pessoas que mais nos amam podem contrair em vez de expandir nossas habilidades resilientes.

Os riscos diante do caos da morte transformam ditadores em crianças, psicopatas em meninos, reis em seres frágeis. A morte nos humaniza mais que a vida.
A. Cury, em *O código da inteligência*

Quando eu tinha 5 anos, possuía um pássaro exótico. Infelizmente, ele morreu. Minha mãe, querendo me tornar uma criança responsável, disse que o pássaro morreu de fome por minha culpa. Sua reação me fez desenvolver uma janela killer. Eu lia e relia continuamente essa janela. Chorei escondido muitas vezes. Sofri como se sentisse a fome do pássaro. Pequenos fatos em nossa história podem ter grandes consequências, gerar um corpo de janelas na memória pelos quais vemos a vida e reagimos aos estímulos; enfim, podem delinear características de personalidade.

A falta de sentimento de culpa gera psicopatas, seres humanos insensíveis, enquanto a presença excessiva gera hipersensibilidade. Como veremos mais adiante, a hipersensibilidade causa inúmeros transtornos, entre eles a escassez de proteção emocional. As perdas podem causar grandes impactos. Precisei decifrar o código do Eu como gestor da emoção e trabalhar minha hipersensibilidade para ser resiliente e poder sobreviver em uma existência bela, porém turbulenta.

O fenômeno da psicoadaptação deve ser lapidado

Alguns estudiosos reconhecem a resiliência como um fenômeno comum e presente no desenvolvimento de qualquer ser humano (Masten, 2001). De fato, todos têm o fenômeno da psicoadaptação em seu psiquismo.

Sem ele, uma mãe jamais suportaria a perda de um filho, uma criança não sobreviveria às violências sofridas na infância, um adulto não sobreviveria aos vexames, às humilhações sociais, às perdas de emprego, às crises financeiras.

Porém, esta é apenas parte da história. Não basta apenas ter capacidade de adaptação. Se quisermos ser resilientes, "elásticos", "flexíveis" e "resistentes" diante dos estímulos estressantes, precisamos decifrar, educar, enriquecer o fenômeno da psicoadaptação.

Um dia, quando encerrar a peça da existência no pequeno palco de um túmulo diante de uma plateia em lágrimas, não quero que digam que ali jaz um homem famoso ou inteligente, mas um ser humano que aprendeu um pouco a vender sonhos para uma sociedade que deixou de sonhar.
A. Cury, em O vendedor de sonhos

A dor, as derrotas e as lágrimas devem ser sempre evitadas, mas ninguém vive continuamente em céu de brigadeiro. Como turbulências são inevitáveis até em dias de céu claro, deveríamos usá-las para expandir nossa maturidade resiliente. Como? Precisamos aprender que:

1. Ninguém é digno do pódio se não usar os fracassos para alcançá-lo.
2. Ninguém é digno da maturidade se não usar suas incoerências para produzi-la.
3. Ninguém é digno da saúde psíquica se não usar suas crises, angústias, fobias e ansiedades para destilá-la.
4. Nenhum ser humano, nenhuma empresa ou instituição será digna

do sucesso se desprezar suas derrotas, vexames, percalços, acidentes de percurso.
5. Dar as costas para as adversidades é a pior maneira de superá-las.
6. Fazer a mesa-redonda do Eu para reunir nossos pedaços, manter nossa integridade, debater com nosso desespero, questionar nosso pessimismo, estabelecer estratégias de superação.
7. Uma pessoa determinada, que não desiste dos sonhos e não abre mão de ser feliz, tem muito mais chance de usar seu caos como oportunidade criativa. Alguns aspectos da teimosia não são saudáveis, mas não há dúvida de que uma pessoa resiliente demonstra boas doses de teimosia.

A vida é tão breve quanto as gotas de orvalho que cintilam na mais bela manhã e se dissipam aos primeiros raios do tempo.
A. CURY, em *Revolucione sua qualidade de vida*

Antes de ser publicado em dezenas de países, tornar-me membro de honra de uma academia de gênios e patrono de universidade, ter textos usados como referência em teses de doutorado, precisei encarar minha estupidez, reconhecer minha ignorância, lidar com rejeições e descréditos, enfrentar minhas derrotas.

Lembro que certa vez bati à porta de uma das maiores editoras da Europa. Não tinha marcado reunião, mas resolvi tentar. Com um livro debaixo do braço, subi no enorme edifício que sediava a empresa. Não fui recebido nem pelo sub do sub do subeditor. Eu era um simples anônimo apaixonado pelo mundo das ideias diante de um grande império. Barraram-me. Senti-me humilhado e descobri que publicar lá fora é uma tarefa dantesca.

Seis anos depois, recebo uma ligação do presidente dessa mesma editora. Ele queria me ver urgentemente. Determinado, disse que se eu não pudesse ir vê-lo em seu país, ele viria ao meu. Como não pude ir, ele veio. Durante o almoço, o presidente da editora disse que me queria em seu quadro de autores. E ofereceu condições que jamais pensei que teria.

Lembrando o passado, mais uma vez confirmo com humildade que a vida é cíclica. Vales e montanhas se sucedem. A humilhação de hoje pode se transformar em glória amanhã e a glória de hoje pode se converter em rebaixamento amanhã ou conduzir a regiões imperceptíveis do anonimato. Nada é totalmente seguro na existência humana. Devemos valorizar a vida muito mais do que o sucesso, os aplausos ou o reconhecimento social.

Muitos cientistas, antes de terem suas brilhantes ideias, produziram ideias medíocres, foram criticados, excluídos. Alguns grandes políticos, como Abraham Lincoln, só tiveram êxito depois de amargar grandes fracassos. Alguns empresários bem-sucedidos só atingiram o apogeu depois de visitarem os vales da falência, da escassez e do vexame público.

Quem quer o brilho do sol deve adquirir habilidade para superar as tempestades e ser resiliente para atravessar o breu da soturna noite. Não existem milagres. A vida é uma grande aventura em que noites e dias se alternam.

Muitos compram o bilhete da festa, mas não a alegria;
compram roupas de marca, mas não o conforto;
compram o seguro de vida, mas não a tranquilidade.
A. Cury, em *Dez leis para ser feliz*

O drama e o lírico

De todos os materiais, a água é o mais resiliente. Sobe até os céus, desce como gotas de lágrimas, percorre corredeiras, desce cachoeiras, cabe em um oceano ou no menor de todos os orifícios. Nunca dá desculpas para deixar de contornar os obstáculos.

Se não decifrarmos o código da resiliência, não assumimos formas e contornos para preservar o que amamos. Os melhores amigos um dia se afastam – nem sempre psiquicamente, mas fisicamente. Alguns mudam de cidade, outros mudam o estilo de vida, se recolhem no deserto das suas atividades. Permita-me adaptar as palavras do Mestre dos Mestres: bem-aventurados os que preservam seus amigos ao longo do traçado da sua história porque deles não é o reino da solidão.

Viver é conquistar, ter experiências, cultura, amigos, um grande amor; viver também é perder, diminuir a destreza muscular, o reconhecimento social, a vitalidade social. Viver é se encantar com os outros e ter expectativas correspondidas; é se desencantar e ter expectativas destruídas. O drama e o lírico sempre nos acompanham.

Quem decifra o código da resiliência, ainda que sem ter consciência, constrói ao longo da vida centenas de janelas light em seu inconsciente, que darão sustentabilidade à sua lucidez, ânimo, sensibilidade, sabedoria, tranquilidade. Ainda que percamos a vitalidade física, preservaremos a psíquica; ainda que os aplausos cessem, a vida continuará sendo um show no anonimato.

---

*Tudo que tem um preço é barato. Só o que o dinheiro
não compra é realmente caro, e quem não adquiri-lo será
sempre um miserável, ainda que seja um milionário.*
A. Cury, em *O vendedor de sonhos*

Uns trabalham a argila, outros, o mármore e ainda outros, peças para a montagem de aparelhos, mas poucos aprendem a trabalhar o material das decepções. Fomos treinados para ganhar, não para nos frustrar. Fomos treinados para viver nas primaveras.

Nada é mais belo do que ter filhos. Nada é mais gostoso do que um abraço, um beijo, um "Eu te amo". Mas o tempo passa, a vida segue e os filhos criam asas e exploram outros ares. Entediados, os pais experimentam a síndrome do ninho vazio.

Doaram-se, amaram e se preocuparam com seus filhos, mas nem sempre conseguiram que eles saíssem como o esperado: alguns se envolveram com drogas, adquiriram outros transtornos, se tornaram indiferentes ou não aprenderam a pensar no amanhã e gastavam compulsivamente.

Porém, é necessário que os filhos caminhem com as próprias pernas. Nós os deixamos partir para que eles se encontrem. Nós recolhemos a pena e o papel para que eles escrevam a própria história. Nós deixamos de superprotegê-los para que saiam de nossa sombra e construam sua segurança.

Muitos filhos só reconhecem a grandeza de seus pais quando os sofrimentos diminuem o heroísmo deles, quando batem asas de encontro às adversidades. É necessário deixá-los voar para que decifrem o código da resiliência.

Um homem que fez da vida um show insubstituível

Não é a quantidade de tempo que determina a qualidade de uma relação. Podemos fazer de cada fração de tempo um acontecimento único. Algumas pessoas estão fisicamente doentes, têm meses de vida, mas fazem de cada momento uma experiência solene. São mais dignos e mais felizes do que quem vive décadas com uma existência vazia.

Brilhantes executivos percebem pequenos sintomas que revelam que o caixa da empresa está com problemas e rapidamente agem para saná-lo, mas não percebem os sintomas gritantes que indicam que sua saúde física e psíquica está falida.
A. Cury, em *O código da inteligência*

Certa vez, quando fui dar uma conferência em uma cidade que nunca visitara, um padre pediu que o visitasse. Era de origem italiana, muito inteligente, lúcido e extremamente afetivo. Estava com câncer de fígado em estágio avançado.

À medida que conversava com ele, fiquei comovido ao ver que uma pessoa magra, ofegante, que mal conseguia andar e respirar, revelava uma ternura indecifrável, uma fé inabalável.

Não reclamava, não condenava, não se achava o mais miserável dos seres. Psicoadaptou-se a suas indecifráveis limitações. Era um poeta da vida.

Tinha seus temores, mas aprendeu a decifrar em seu caos o código da resiliência. Aprendeu a viver cada minuto como se fosse eterno. Tornou-se um homem profundo, sereno. Um ser humano muito melhor do que eu, do qual esperava aprender grandes lições.

Por fim, ao me despedir, ele me agradeceu por tudo o que escrevi. Mas eu é que lhe agradeci por existir e por ter me dado a oportunidade de conhecê-lo. Sentia-me honrado diante de alguém que aprendera a fazer da vida um show insubstituível.

Já tratei de algumas pessoas riquíssimas. Vi muitos miseráveis morando em palácios. Eram pessoas éticas e inteligentes, tiveram sucesso social e financeiro, mas não emocional. Não aprenderam a fazer daquilo que o dinheiro não compra um show existencial.
A. Cury, em Os segredos do Pai-nosso

O maior fenômeno das Olimpíadas

Michael Phelps tinha hiperatividade e transtorno de déficit de atenção. Era inquieto, agitado, não se adaptava ao sistema escolar, não conseguia ficar parado, não se concentrava em sala de aula. Tinha necessidade de se movimentar, falar, agir, reagir. Uma professora, observando seu comportamento, disse que ele não conseguiria ser nada na vida. Foi desprezado, desacreditado.

Mas Phelps descobriu um segredo para decifrar o código da resiliência, superar adversidades e enfrentar crises. Uniu dois ingredientes indispensáveis em seu psiquismo: treino (disciplina) e sonhos. Entendeu que sonhos sem treino produzem pessoas frustradas e conformistas e que, por sua vez, treino sem sonhos produz servos do sistema social, pessoas que apenas obedecem a ordens, sem alvo ou metas.

O jovem hiperativo sonhou em ser um grande esportista. Superou as armadilhas da mente e treinou muito. Ao treinar, focar os alvos, sonhar e enfrentar a ansiedade, aprendeu a se concentrar em suas metas. O resultado? Sem ter conhecimento de psicologia, reeditou o filme do inconsciente, as zonas de conflitos, e produziu intuitivamente uma plataforma de janelas lights paralelas às janelas killer não reeditadas, onde estavam arquivadas as experiências de desprezo e descrédito construídas em sua infância.

Desse modo, entendeu que todas as escolhas têm perdas. Quem quer ganhar sempre está despreparado para viver, não sabe que os aplausos de hoje serão as vaias de amanhã. É necessário perder coisas importantes para conquistar metas mais relevantes. O jovem Michael Phelps sabia aonde queria chegar.

Ser ator ou atriz principal no teatro da vida não significa não falhar ou não chorar, mas ter habilidade para refazer caminhos, coragem para reconhecer erros, humildade para enxergar limitações e força para não ser aprisionado pelos pensamentos pessimistas e emoções doentias.
A. Cury, em *Seja líder de si mesmo*

O Eu do jovem nadador aprendeu a ser resiliente, a superar o drama para sorrir no palco, a superar as crises para crescer. O Eu aprendeu a ser autor da própria história e, assim, viveu a mais fundamental lição do jogo da vida: *ninguém é digno do pódio se não usar seus fracassos para conquistá-lo* (Cury, 2004). Tornou-se o maior astro das Olimpíadas de todos os tempos, com oito medalhas de ouro em uma mesma edição. Um feito jamais realizado.

Michael Phelps não é super-herói, não é superdotado – é apenas um ser humano que decifrou com maestria o código da resiliência. Porém, o jovem Phelps, o fenômeno das Olimpíadas, poderá ser um fracasso em outras áreas da existência se não aprender a decifrar os demais códigos da inteligência: a mesa-redonda do Eu, o filtro psíquico, a proteção da emoção, o debate de ideias, o altruísmo, o carisma. Esses são desafios gigantescos a serem enfrentados não no "cubo d'água", mas no traçado do tempo. Desafios cujas conquistas não são reconhecidas por medalhas nem pelos holofotes da mídia. São anônimas e insubstituíveis.

A cultura da competição nas Olimpíadas é brilhante. Pessoas de todas as raças, religiões, regiões e nacionalidades se unem como uma família, a família humana, no palco do esporte. Competir, participar, dar o melhor de si é nobre. Mas a cultura da premiação, que exalta em prosa e verso apenas a minoria que conquista o pódio, é paranoica, desinteligente, escassa em humanismo, pobre em promover o código da resiliência.

Por ser a vida brevíssima e belíssima, deveríamos viver cada suspiro existencial como um momento eterno. Para isso, deveríamos ser ágeis para mudar nosso paranoico estilo de vida.
A. Cury, em Revolucione sua qualidade de vida

O excesso de nacionalismo no ranking dos países que mais ganham medalhas é um sintoma que emana do inconsciente de uma espécie doente, que decifra pouco os códigos da inteligência. As Olimpíadas perdem uma oportunidade de ouro de dar um choque de lucidez na família humana. As medalhas deveriam ser um importante apêndice, e não o centro das atenções. A festa deveria ser outra.

Ser resiliente é fundamental

Quem não decifra o código da resiliência cobre-se com o manto do pessimismo, tem insônia no melhor dos leitos. Quem trabalha suas crises adoça a vida, torna-se generoso com a própria existência, habilita-se a compreender o outro. Julga menos e se entrega mais.

Muitos pensadores foram discriminados, considerados loucos, tolos, rebeldes e perturbadores da ordem social ao longo da história. Alguns conseguiram força na fragilidade, conforto no isolamento, ânimo no terror das incompreensões.

Sócrates foi condenado a beber cicuta, a morrer envenenado, pelo incômodo que seus pensamentos causaram à elite governante. Seus jovens discípulos, em meio a lágrimas e dor, suplicavam que reconsiderasse sua postura e suas ideias, mas ele preferiu ser fiel às suas ideias a ter uma dívida impagável com sua própria consciência (Cury, 2000).

Giordano Bruno, filósofo italiano, andou errante por muitos países, procurando uma universidade para expor seus pensamentos. Foi banido, excluído, tachado de louco. Sem ninguém para ouvi-lo, procurava em seu próprio mundo aconchego para superar a solidão. Experimentou diversos tipos de perseguição e sofrimento, culminando na sua morte.

Baruch Spinoza, um dos pais da filosofia moderna, de origem judaica, foi banido pelos membros de sua sinagoga por causa da confusão que suas ideias causaram. Chegaram a amaldiçoá-lo com palavras cruéis: "Que ele seja maldito durante o dia, e maldito durante a noite; que seja maldito deitado, e maldito ao se levantar; maldito ao sair, e maldito ao entrar..." O dócil pensador teve que aprender a se aquecer no mais cáustico inverno da discriminação.

Immanuel Kant foi tratado como um cão pelo incômodo que suas ideias causavam no clero de seu tempo. Voltaire também passou por rejeições e inumeráveis riscos. Produzir ideias tem um preço, ser diferente também – nem sempre é fácil pagar, mas é necessário para saldar o débito com nosso próprio Eu.

> *Quem vence sem lágrimas e dificuldades triunfa*
> *sem humildade. Quem triunfa sem humildade nunca valorizará*
> *os demais competidores. Por mais que sejamos vencedores*
> *no jogo da vida, a morte sempre vencerá.*
> A. Cury, em *Nunca desista dos seus sonhos*

Em qualquer campo da atividade humana, raramente as grandes conquistas são alcançadas antes de ideias que nos fazem pensar "Não dá mais!", "Não tenho força!", "Estou no limite!".

Tempos difíceis

Vivemos em tempos complicados nessa sociedade ansiosa. Se não nos decepcionarmos com os outros, dificilmente não nos decepcionaremos com nós mesmos. O protagonista do romance *O vendedor de sonhos* questiona: "Quem não trai o tempo com seus filhos por mais algumas horas trabalhadas? Quem não trai seus sonhos pelo excesso de trabalho?"

Uns traem o Deus em que creem com uma religiosidade exclusivista, outros traem a ciência ao controlar seus pares e outros ainda, sua criatividade pelo medo de se abrir para novas ideias.

Os tempos mudaram. À medida que as crianças sofrem menos traumas na infância devido à propagação dos direitos humanos, os traumas do presente ganham destaque para promover o adoecimento psíquico. Como estudo a teoria das janelas da memória, estou seguro em dizer que não precisamos de um passado doente para sermos doentes no presente. Basta viver nessa sociedade estressante e extremamente competitiva sem aprender a ser um gestor do intelecto e sem decifrar o código da resiliência para adoecer.

As crises financeiras podem ser tão dramáticas quanto os traumas da infância. Algumas pessoas faliram uma vez, sujaram seus nomes, sentiram-se profundamente envergonhados, desanimados e desacreditados por si mesmos. O Eu foi para a plateia – eles tornaram-se espectadores da vida, nunca mais assumiram seu papel no palco psíquico.

Outros faliram uma, duas, três ou mais vezes. Foram marcados, excluídos, zombados, mutilados socialmente, tachados de irresponsáveis, mas não se curvaram. Mesmo sem forças, não se tornaram escravos das derrotas. Deram um choque de gestão em suas mazelas.

Entenderam que nenhum ser humano ou nenhuma empresa é digna do sucesso se não aprender com seus erros. Quanto maior o tombo que sofreram, mais garra tiveram para se superar. Aprenderam a não destruir nem se autodestruir quando feridos. Fizeram intuitivamente a técnica do Stop Introspectivo e aprenderam a pensar antes de reagir.

Sob o calor da paixão, alguns bradam "Encontrei minha cara-metade"; tempos depois foram abandonados, golpeados, traídos. Quebraram a cara, destruíram suas expectativas, estilhaçaram seus sonhos afetivos. O que fazer? Desesperar-se? Não! Ferir quem feriu? Jamais! Punir-se? Não! Ser resiliente e desprendido, dar liberdade para que as pessoas que o feriram partam. Dizer com elegância algo assim: "Se não me quer, eu me quero. Se não me ama, eu me amo. Seja feliz, porque lutarei por mim e procurarei ser mais feliz do que era."

Só alguém muito resiliente dá plena liberdade para as pessoas a abandonarem. Quem não dá liberdade para os outros jamais encontrará sua própria liberdade. Quem controla os que estão próximos será sempre escravo da própria insegurança. Quem sofre de ciúme excessivo e medo de perder, já perdeu a dimensão do seu próprio valor.

Os que decifram o código da resiliência conhecem a si mesmos. Fazem da sua existência um espetáculo inigualável.

Possíveis consequências de quem decifra o código da resiliência:

1. Torna-se uma pessoa segura, estruturada, que não se submete às derrotas.
2. Usa dificuldades, crises, perdas e adversidades como oportunidades.
3. Expande níveis de tranquilidade, prazer de viver, compaixão, tolerância.
4. Contribui para educar pensadores com uma visão humanista e realista da vida.
5. Desenvolve saúde psíquica nas intempéries existenciais.

Possíveis consequências de quem não o decifra:

1. Desenvolve humor depressivo, irritabilidade.
2. Desenvolve baixo limiar de suportabilidade ao estresse.
3. Diminui os níveis de tranquilidade, tolerância, compaixão, generosidade.
4. Torna-se reativo, impulsivo, impaciente.
5. Os sofrimentos não o amadurecem, não o constroem.

Decifrando o código da resiliência: exercícios

1. Tenha consciência de que a vida é cíclica. Não há sucesso que dure o tempo todo nem fracasso que seja "eterno". Aplausos e anonimato alternam-se de múltiplas formas.
2. Treine diariamente para enfrentar obstáculos, barreiras, dificuldades, crises, com flexibilidade, maleabilidade, reflexibilidade.
3. Saiba que as decepções e as adversidades nos constroem ou nos destroem. Use-as para se reconstruir.
4. Tenha plena consciência de que ninguém é digno da saúde psíquica

se não usar suas crises, angústias, fobias, humor depressivo, para destilá-la.
5. Lembre-se de que nenhum ser humano ou nenhuma empresa ou instituição será digna do sucesso se desprezar suas derrotas, vexames, percalços, acidentes de percurso. Aprenda a escrever nos dias mais dramáticos da nossa existência os capítulos mais importantes de nossa história.

Capítulo 13

Quarto código da inteligência: *código do altruísmo — capacidade de se colocar no lugar dos outros*

O código do altruísmo é o segredo da afetividade social, da capacidade de se doar, de cuidar e proteger quem nos cerca. É o código que expressa a grandeza da alma, a generosidade, a bondade, a compaixão, a indulgência e o desprendimento. É o código que nos vacina contra toda forma de discriminação e contra o estrelismo, o individualismo e o egocentrismo.

O altruísmo é o reflexo de nossa humanidade; quanto mais altruístas, mais humanos somos. Quanto maisególatras e individualistas, mais expressamos nossa natureza animal e instintiva e mais nos tornamos agentes da exclusão e da agressividade. O código do altruísmo nos faz solidarizar com quem falha, condoer com o sofrimento do outro, retirá-los do isolamento, incluí-los, encorajá-los, estimulá-los.

Quem desenvolve esse código torna-se um ser humano sem fronteira. Tem plena consciência de que, acima de sermos brasileiros, americanos, chineses, árabes, judeus, intelectuais, iletrados, somos seres humanos. Por isso, o exercício pleno do código do altruísmo é desenvolver a paixão pela humanidade e a capacidade de se colocar no lugar do outro para perceber seus sentimentos, desvendar suas necessidades.

Quem deseja decifrar o código do altruísmo ao longo da vida deve entender e aplicar estes fenômenos:

1. Quem ama o poder não é digno dele.
2. Quem controla as pessoas que lidera não é digno de ser um líder.
3. O poder político, científico, social, deve ser usado para promover os outros e não para subjugá-los ou silenciá-los.
4. Os olhos físicos enxergam comportamentos visíveis; os olhos altruístas enxergam o que está por trás deles.
5. Ser apaixonado pela humanidade: doar-se e contribuir com a sociedade não deve ser um sacrifício nem uma forma de autopromoção, mas um insondável prazer que não deve ser propagandeado.
6. Apostar no ser humano e acreditar na vida, mesmo que as pessoas e as circunstâncias que nos cercam nos estimulem a ser pessimistas.
7. Ser uma pessoa repleta de gratidão. Ser rápido em agradecer e lento em reclamar.

Lágrimas que nunca encenaram no teatro do rosto

Quem decifra o código do altruísmo consegue enxergar as lágrimas que nunca percorreram os sulcos do rosto, as dores que jamais foram verbalizadas, os temores que vestiram seus disfarces. Os altruístas captam os conflitos dos seus filhos, as preocupações dos seus pais, as angústias do seu cônjuge, os conflitos dos seus alunos.

> *Quem não é fiel à sua consciência tem*
> *uma dívida impagável consigo mesmo.*
> A. Cury, em *Inteligência multifocal*

Os altruístas não espoliam seus amigos, não sugam e exploram a quem amam; ao contrário, são ávidos para contribuir com eles. São profundamente agradecidos aos empregados que lhes servem, aos colegas de trabalho que com ele colaboram, aos professores que lhes ensinaram e aos pais que os sustentaram.

Não são tolos nem ingênuos. São realistas, mas têm uma visão romântica da vida. Os altruístas se doam para os outros porque aprenderam a dádiva de reconhecer os que se doaram por ele.

Somente aquele que aprende a arte de agradecer compreende a arte de se doar, decifra o código do altruísmo. O altruísta não vive ilhado, ensimesmado, gravitando apenas na órbita das suas necessidades. Tem prazer de fazer os outros felizes, de promover o sorriso, de cultivar o bem-estar.

> *Devemos aprender a valorizar muito o ser,*
> *mas sem desprezar o ter.*
> A. Cury, em *Superando o cárcere da emoção*

Os não altruístas são "tratores sociais": passam por cima dos sentimentos alheios e não respeitam suas crises. Não dão o ombro para seus pais, amigos, colegas e irmãos chorarem. São os primeiros a apontar os dedos, a julgar, a denunciar falhas, a atirar pedras, e são os últimos a abrir os braços para acolher.

O canteiro de violência em que se converteu a humanidade é reflexo do fato de que poucos desenvolveram o código do altruísmo. Sem esse código é impossível desenvolver relações sociais saudáveis.

Os limites da interpretação exigem o código do altruísmo

Quando vemos um jovem atirando nos colegas de escola, ficamos pasmados, abalados, perguntando-nos como isso é possível. Não percebemos que essa agressividade representa apenas a ponta do iceberg de muitos alunos que não desenvolveram a capacidade de serem generosos consigo e com os outros.

Não aprenderam a perscrutar seus próprios sentimentos nem a se colocar no lugar do outro. O resultado? Projetam sua agressividade em quem está ao redor.

Alguns jovens, antes de sair atirando em seus colegas e cometer suicídio, clamaram por ser ouvidos. Pediram ajuda através de seu comportamento agressivo ou retraído, do seu silêncio ou da sua agitação. Mas quem ouve os gritos não traduzidos pela voz? Quem ouve o clamor represado no território psíquico? Se mal traduzimos as palavras, como traduziremos o inaudível?

A maioria dos pais e dos professores não aprendeu a ouvir o silêncio. São ótimos em julgar e criticar, mas não são bons para perguntar "O que você sente e nunca teve coragem de dizer?". Não desenvolveram o código do altruísmo.

Não é simples interpretar comportamentos. A imagem e os sons dos comportamentos que observamos incidem em nosso sistema sensorial, vão até o córtex cerebral, acionam o Gatilho da Memória (fenômeno da autochecagem), conduzindo a abertura de diversas janelas, e só a partir daí se checa ou assimila os comportamentos observados. Portanto, nossas experiências arquivadas dão significado ao objeto exterior – no caso, os comportamentos. Esse processo dura frações de segundos e está associado a muitos erros.

Quem é exigente com a qualidade dos produtos que consome, mas não com a qualidade dos pensamentos que produz, trai sua saúde psíquica.
A. Cury, em *12 semanas para mudar uma vida*

Primeiro, porque interpretamos os outros a partir de nós mesmos, de acordo com as janelas que abrimos em nosso inconsciente. Segundo, porque nosso estado emocional (como estou), o ambiente social (onde estou) e nosso grau de motivação influenciam tanto na quantidade de janelas abertas quanto no grau de abertura de cada uma delas. Terceiro, porque o corpo de pensamentos derivados desse processo de significação é virtual; apenas tenta definir, esquadrinhar, conceituar interpretativamente o outro, mas jamais atinge a sua realidade.

Por isso, tudo o que pensamos sobre o outro não é o outro em si, mas um sistema de interpretação que pode diminuí-lo (desumanizá-lo) ou aumentá-lo (divinizá-lo). Se um ser humano deprecia e rejeita alguém e quando o vê sente asco, certamente, quando o ouvir, diminuirá suas ideias, o desumanizará. De outro lado, se o idolatra, o supervaloriza e é incapaz de ter autocrítica em relação ao que ouve, com certeza o divinizará. Até um espirro dele terá grande significado.

Temos um Judas Iscariotes escondido nos recônditos de nosso ser. Uns traem o tempo com seus filhos por um pouco mais de horas trabalhadas. Outros traem sua saúde, chafurdando na lama das suas preocupações. Ainda outros traem seu sono entrando na internet madrugada afora.
A. Cury, em *O vendedor de sonhos*

Durante vinte anos estudei o processo e os limites da interpretação e estou convencido de que interpretar costuma gerar grandes distorções. Para que elas sejam minimizadas é fundamental decifrar o código do altruísmo associado ao código da autocrítica e da gestão psíquica do Eu. Mas, como não somos treinados para isso, criamos com incrível facilidade deuses e demônios na ciência, na política e na religião.

A história pode se repetir

Hitler tornou-se líder da nação que mais havia ganhado prêmios Nobel até a década de 1930. Uma sociedade que produziu Kant, Hegel, Schopenhauer e tantos outros brilhantes pensadores. Outros "Hitleres" aparecerão? Infelizmente, sim.

Se um tirano seduziu uma sociedade inteligentíssima, não há nenhum impedimento para seduzir outras sociedades menos aptas intelectualmente. Se não preparamos a próxima geração para decifrar os códigos da inteligência, permitiremos que outros psicopatas proponham ideias inumanas para resolver conflitos humanos.

Os gemidos de centenas de milhares de crianças judias e de outras minorias mortas nos campos de concentração ainda ecoam pela nossa história, acusando nossa loucura. Não basta ler os livros e se admirar com as atrocidades cometidas, é preciso ter a pedagogia da indignação, ter ouvidos altruístas para ouvir clamores inaudíveis.

Os adolescentes do mundo todo conhecem alguns fatos que ocorreram na Segunda Guerra Mundial, mas, como não teatralizam a história, não aprendem a se colocar no lugar dos que sofreram, as informações que recebem, em vez de produzir a pedagogia da indignação e educá-los, geram insensibilidade. A história narrada friamente no microcosmo da sala de aula não decifra o código do altruísmo. Piora a intelectualidade dos alunos. Parece banal que homens tenham escravizado homens, negros tenham sido algemados durante séculos.

Educar não é se fechar em uma classe social, grupo étnico, religioso, cultural, mas, como afirma Adorno, é ter uma consciência de mundo. Devemos educar para garantir não apenas a produção e a reprodução do conhecimento, mas a capacidade de resgatar e reafirmar valores éticos que preservem a vida na Terra (Adorno, 1971).

Nunca exija o que os outros não podem dar. No momento em que uma pessoa erra, ela falha, se equivoca, não consegue abrir o leque da inteligência para dar respostas lúcidas. Exigir dela lucidez nos focos de tensão é uma afronta aos direitos humanos.
A. Cury, em *A sabedoria nossa de cada dia*

Somente a educação altruísta resgata valores éticos e luta contra a prevalência do instinto humano no tecido social. O egoísmo, o individualismo e o egocentrismo se desenvolvem sem qualquer esforço educacional. Notem que é comum vermos crianças sendo tirânicas com outras crianças.

Não espere que crianças e adolescentes sejam solidárias, tolerantes e afetivas espontaneamente. Essas características são difíceis de serem elaboradas na psique, dependem do aprendizado do alfabeto da sensibilidade, do prazer em se doar, da paixão pela humanidade. É muito mais fácil alfabetizar o intelecto para ler do que alfabetizar a emoção para se doar.

Tenho a impressão de que os jovens vêm desenvolvendo coletivamente traços de psicopatia. Não são psicopatas clássicos, que destroem ou matam sem sentir a dor dos outros. Mas magoam seus colegas com facilidade e raramente sentem culpa. Agridem seus educadores como se fossem mais um mero figurante em sala de aula.

Mais de 90% de nossas correções não educam, mas invadem a privacidade. Por quê? Porque primeiro queremos conquistar a razão e depois a emoção. Conquiste primeiro a emoção, valorize quem será corrigido, e somente depois faça sua crítica. Você não será um invasor, mas um educador inesquecível.
A. Cury, em *Pais brilhantes, professores fascinantes*

O altruísmo manifesto no mais simples gesto

Procuro educar minhas filhas a decifrar o código do altruísmo desde os primeiros anos de vida. Sempre digo que há um tesouro soterrado nos escombros das pessoas que sofrem. Sempre comento que cada ser humano é um mundo fascinante a ser descoberto, que tem lágrimas e alegrias, ousadias e recuos, lucidez e estupidez. Valorizar a vida e respeitar nossas diferenças são fundamentais para a maturidade.

Elas têm aprendido o alfabeto do altruísmo. Frequentemente me apontam pessoas brancas, negras, bem-vestidas ou mendigos nas ruas e me perguntam: "O que aquela pessoa está pensando? Quais foram suas aventuras e seus dias mais tristes? Quais foram suas lágrimas e alegrias?" Essas palavras soam como música em meus ouvidos.

Quando dei uma conferência na Associação Médica do Paraná, meu amigo, Dr. Macedo, diretor da entidade, nos levou para jantar após o evento. Ao chegarmos ao restaurante, ele viu alguns mendigos dormindo na rua. Era inverno. O frio e o vento roçavam a pele. Ao vê-los, abriu o porta-malas do carro, tirou dois cobertores e pediu que minhas filhas os cobrissem. Elas o fizeram com alegria. Com um simples gesto, tiveram uma grande experiência altruísta.

Este nobre cirurgião é um médico social que sempre age assim. Sem conhecer o funcionamento da mente, também treinou seus filhos a decifrar o código do altruísmo e desenvolver uma das mais raras e difíceis funções do psiquismo: colocar-se no lugar do outro.

Uma pessoa imatura pensa que todas suas escolhas geram ganhos. Uma pessoa madura sabe que todas as escolhas têm perdas.
A. Cury, em *Nunca desista dos seus sonhos*

O código do altruísmo pode ser decifrado com os mais simples gestos, mesmo os imperceptíveis e anônimos, como preservar a natureza, reciclar o lixo, fazer um favor a pessoas necessitadas, deixar um bilhete para quem ama, elogiar pessoas que raramente são dignas de elogios, agradecer os pais por tudo o que fazem por nós, elogiar os filhos por existirem e nos amarem.

Só se ensina o código do altruísmo pelo exemplo

O código do altruísmo não se ensina oralmente, não se transmite pelos livros, não se ilustra com multimídia, mas apenas com exemplos de vida. Educamos mais pela eloquência do silêncio do que pela eloquência das palavras. Líderes e educadores que enfatizam as palavras falharão. Lembre-se: devemos educar sempre e, se necessário, usar as palavras.

Coloquem os jovens dentro da sala de aula durante mil anos e transmita-lhes trilhões de informações e enfiem na cabeça deles todos os livros do mundo. Ao receberem o diploma estarão aptos a fazer guerras, destruir e se autodestruir. Coloquem-nos nos desertos sociais durante um ano, em que todos devem participar cuidando, amparando e aliviando a dor dos outros, que sairão preservando a vida.

As crianças e os adolescentes deveriam, sempre que possível, participar de atividades voluntárias em creches, hospitais, asilos, instituições que cuidam de crianças com câncer, associações que preservam a natureza.

A educação amalgamada à ética e ao altruísmo constrói o sujeito solidário, magnânimo, aberto, contribuindo para a consciência da condição humana e para o "aprendizado da vida", como preconiza o ilustre Morin. É uma educação que estimula a aptidão crítica e autocrítica do sujeito, que pode ajudar a nos tornar melhores, senão mais felizes. É uma educação que nos ensina a assumir a parte prosaica e viver a parte poética da vida (Morin, 2000).

> O planeta psíquico é tão complexo que pode mudar as leis da matemática: a adição pode gerar diminuição, a multiplicação pode gerar contração. Só não entende esses paradoxos quem nunca arriscou explorá-los.
> A. CURY, em O código da inteligência

O código do altruísmo nos transforma em poetas da vida, ensina a viver a poesia da solidariedade e da sensibilidade, ainda que nunca escrevamos textos. O individualismo é uma fonte de transtorno psíquico; a solidariedade é uma fonte de saúde emocional. A solidariedade é um passo além da tolerância. Tolerância é respeitar o outro; solidariedade é procurar o outro e participar de sua história.

Nas sociedades modernas, assistimos ao enterro da solidariedade. Muitas pessoas desejam contribuir com os outros, mas estão ilhadas em seu próprio mundo, soterradas pela avalanche de atividades.

O excesso de tarefas e de estímulos sociais não apenas nos tem feito desenvolver a SPA, mas também a síndrome da exteriorização existencial, caracterizada pela dificuldade de viajar para dentro de si mesmo, de refletir, de pensar, de se reorganizar, de ter sentido existencial.

Uma mente agitada, inquieta, não tem tempo nem clima psíquico para vivenciar as vertentes desse magno código da inteligência. Para decifrá-lo, precisamos diminuir nossa ansiedade e começar a prestar a atenção nas diminutas e grandiosas coisas que nos rodeiam.

Para quem não decifra o código do altruísmo, o drama da fome, da discriminação, da exclusão, das mazelas alheias, ainda que gere constrangimentos, ficará sempre nos dicionários, não penetrará nas fronteiras da sua história.

Insensibilidade versus hipersensibilidade

Se o código do altruísmo não for trabalhado de forma adequada, afetará o desenvolvimento emocional, podendo ocorrer duas situações extremas e opostas entre si: a insensibilidade ou a hipersensibilidade. Nada pode comprometer tanto a personalidade quanto uma emoção que vive nas raias da insensibilidade, ou, ao contrário, nas trajetórias da hipersensibilidade.

Quem tem a necessidade neurótica de ser perfeito nunca terá contato com sua realidade, nunca terá acesso às suas falhas. Permanecerá intocável. Levará para o túmulo seus defeitos.
A. Cury, em Seja líder de si mesmo

Educar a sensibilidade é mais importante do que ensinar sobre o núcleo atômico ou as forças do universo. É estudar o mais fundamental de todos os universos, o psíquico, é investigar o mais fundamental e invisível de todos os núcleos, o intelecto. Decifrar a linguagem da sensibilidade é refinar a arte de sentir, inspirar, aspirar, ver, perceber. Mas não somos treinados nessa expertise.

A insensibilidade e a hipersensibilidade são duas armadilhas devastadoras da mente humana que podem bloquear o Eu como gestor psíquico e o código do altruísmo. Pode levar a emoção a ser um barco à deriva, o intelecto a ser uma aeronave sem manche. Pode comprometer ainda o código da resiliência e contrair a capacidade de superar conflitos e infortúnios.

Podemos chamar a insensibilidade ou antialtruísmo e a hipersensibilidade de hiperaltruísmo. Dificilmente não entramos nas fronteiras dessas armadilhas.

Muitos desenvolvem insensibilidade nas sociedades modernas. Não atiram pedras que diláceram os músculos, mas desferem calúnias e difamações que diláceram mentes. Os psicopatas são antialtruístas.

Por outro lado, muitos também desenvolvem hipersensibilidade. São hiperaltruístas, sempre se esquecem de si mesmos para pensar nos outros.

Uma pessoa insensível exclui os outros; uma hipersensível os superprotege. Uma pessoa insensível fere quem a rodeia; uma hipersensível fere a si mesmo para não magoar os outros. Uma pessoa insensível não se preocupa com os outros; uma hipersensível vive a história deles. Uma pessoa insensível não se comove com as cenas do cinema; uma hipersensível chora com facilidade. Uma pessoa insensível não tem sentimento de culpa quando erra; uma hipersensível o tem em excesso. Uma pessoa insensível despreza o futuro; uma hipersensível sofre por antecipação.

Quem são as melhores pessoas da sociedade? As hipersensíveis. Quem está mais sujeita à depressão e outros transtornos emocionais? Muito mais as hipersensíveis. Elas são excelentes seres humanos, mas colocam-se em último lugar na pauta das suas prioridades.

O insensível deixa todos doentes ao seu redor; o hipersensível adoece por todos. A diferença entre ambos é gritante. Uma pessoa insensível é carrasco dos outros; uma pessoa hipersensível é algoz de si mesma.

Uma ferramenta para educar a sensibilidade

Para educar o código do altruísmo é importante conhecermos os capítulos mais importantes da história de quem amamos. Apesar de ser ocupadíssimo, tenho me preocupado em conhecer alguns textos da história dos meus pais que eles nunca contaram espontaneamente para seus seis filhos. Se considerarmos a personalidade como um grande edifício, a maioria dos pais e filhos conhece apenas a fachada da personalidade uns dos outros.

Recentemente pedi a meu pai e minha mãe mais uma vez que me contassem trechos importantes de suas vidas. Surpreendi-me e os admirei mais ainda. Vislumbrei intensa ternura escondida naqueles cabelos brancos. Meu pai perdeu a mãe dele aos 5 anos. Seus pais eram do Oriente Médio. O que não sabia era que na infância ele foi criado junto com uma família de negros. Disse que diariamente ia abraçar sua "avó" negra, muito amável e generosa.

Contou-me ainda que, na adolescência, um senhor negro, chamado Osvaldo Barbosa, foi repreendê-lo por um comportamento que achava inadequado. Uma pessoa o impediu e ambos caíram, pois pensava que eles estavam brigando. O Sr. Barbosa foi preso. Meu pai foi à delegacia, lhe pediu desculpas e pediu que o delegado o soltasse, dizendo que Seu Barbosa era como um pai para ele. "Não se preocupe, meu filho", foi a resposta do Sr. Barbosa diante de um delegado atônito.

Minha mãe, de origem espanhola e ítalo-judia, passou privações na infância. A mãe dela teve catorze filhos. Não tinha tempo para dar atenção aos filhos nem dinheiro para sustentar a família. As dificuldades eram tantas que sua mãe fritava um ovo e o repartia em quatro. De vez em quando comiam algumas batatas, mas nunca jogavam fora a casca. Nos aniversários não havia bolos nem presentes. Faziam um frango com polenta e davam um pedaço para cada filho. Eu só tenho a agradecer os pais que tenho. Não são perfeitos, mas são encantadores.

> A vida é uma grande universidade, mas pouco ensina para quem não aprende a aprender.
> A. Cury, em *Nunca desista dos seus sonhos*

É uma pena que a maioria dos filhos e alunos nunca tenha penetrado nos textos mais nobres do livro existencial dos seus educadores. Quando muito, leem o prefácio. Ficam na superfície emocional, não deciframo código do altruísmo. Educadores que não falam das suas lágrimas para seus filhos e alunos nunca os ensinarão a chorar. Mestres que não falam das suas crises e dificuldades nunca os ensinarão a suportar adversidades. Formarão eternos meninos.

Conhecer os capítulos mais importantes da personalidade de nossos pais e professores é uma excelente ferramenta para educar a sensibilidade. Sem essa ferramenta, podemos cair facilmente nas raias da insensibilidade ou da hipersensibilidade.

Desenvolver o código do altruísmo ou da sensibilidade deveria ser o objetivo prioritário de todas as escolas de ensino fundamental, médio e superior. Mas a que espaço educacional mundial esse alvo tem sido visado? Apenas alguns educadores isoladamente o procuram. Psicopatas e pessoas depressivas continuam se desenvolvendo. E fazemos muito pouco para ajudá-los.

Possíveis consequências de quem
decifra o código do altruísmo:

1. Torna-se uma pessoa generosa, influenciadora, solidária, tolerante.
2. Expande os níveis de afetividade, paciência e tranquilidade.
3. Transforma a vida em um show existencial, em uma aventura indecifrável.
4. Contribui para educar pessoas mais humanas e emocionalmente maduras.
5. Cria uma rede de relacionamentos na sociedade. Transita com suavidade nas relações traumáticas.

Possíveis consequências de quem não o decifra:

1. Desenvolve egoísmo, egocentrismo, individualismo.
2. Tem necessidade neurótica de poder.
3. Tem necessidade de estrelismo, propagandismo, ser o centro das atenções sociais.
4. Desenvolve ansiedade, inquietação, impaciência. Tem baixo limiar para suportar o estresse.
5. Diminui os níveis de solidariedade, compaixão, generosidade. Desenvolve traços de psicopatia.

Decifrando o código do altruísmo: exercícios

1. Descubra o prazer de se doar, cuidar e proteger os outros. Entenda que a maturidade intelectual e a saúde psíquica exigem a ruptura do individualismo e o prazer em contribuir com a sociedade.
2. Participe de atividades sociais e associações que se preocupam em preservar a vida e o meio ambiente.
3. Ensine crianças e adolescentes a serem seres humanos sem fronteiras,

apaixonados pela humanidade e a entenderem que há um mundo a ser descoberto dentro de cada ser humano, um tesouro debaixo dos escombros das pessoas que sofrem.
4. Previna a hipersensibilidade, não viva a história dos outros, não sofra a dor deles nem superproteja-os.
5. Pratique a oração dos sábios: o silêncio. Não se submeta à ditadura da resposta nem tenha necessidade neurótica de reagir. Não conquiste o temor das pessoas, mas o amor e a admiração delas.

Capítulo 14

Quinto código da inteligência:
código do debate de ideias

O código do debate de ideias é o alicerce do processo de formação de pensadores, o segredo que fundamenta intelectos livres, destemidos, intrépidos, seguros, participativos. É o código que habilita a trabalhar em equipe, interagir, trocar experiências, romper o cerco da insegurança.

Quem decifra o código do debate de ideias esfacela a timidez, recicla o complexo de inferioridade, supera o medo do novo, enfrenta com dignidade a crítica, tem ousadia para refazer rotas. É o código que imprime determinação e capacidade de lutar pelo que cremos e amamos. É o segredo intelectual e emocional que jamais nos permite consignar nossa liberdade de ser nem hipotecar nossa liberdade de agir.

Decifrar o código de debate é fundamental para o sucesso profissional. Sem decifrá-los, produziremos servos e não líderes, contrairemos o potencial intelectual.

O código do debate de ideias deveria fazer parte do cardápio intelectual diário de alunos, professores e pesquisadores das universidades de todo o mundo. Mas, infelizmente, esse cardápio tem sido escasso. Priorizamos o acúmulo de informações e não o debate. Priorizamos respostas prontas e não a arte da dúvida.

Embora haja diversas exceções, a fogueira de vaidades que impera em muitas universidades é espantosa. Ouço coisas incríveis pelos países que viajo. O templo do conhecimento em alguns casos não é menos rígido nem dogmático do que certos templos religiosos.

A competição predatória, o controle do pensamento e a contração do debate de ideias têm penetrado nas entranhas de muitas universidades. A cultura informativa não tem estimulado a sabedoria e o desprendimento. Os professores universitários são poetas da educação. Muitos são livres, generosos, amam o debate, amam o mundo das ideias, mas o sistema educacional está doente.

A vida é uma grande pergunta em busca de grandes respostas.
A. Cury, em *Inteligência multifocal*

Neste sistema, ter ideias diferentes, propor novas linhas de pesquisa, quebrar paradigmas, deveria ser motivo de aplausos, mas nem sempre o é. Extraordinários pensadores têm sido asfixiados em ambientes nos quais não se decifrara o código do debate de ideias.

O silêncio não pedagógico

Uma das coisas que mais me impressionaram quando analisei a inteligência de Cristo sob o ponto de vista da psicologia foi sua borbulhante capacidade de estimular o debate de ideias e a arte de pensar.

Seus discípulos eram toscos, agressivos, rudes, instintivos, reagiam sem pensar, eram péssimos gestores do seu psiquismo, não tinham traços de altruísmo nem sombra de resiliência. Mas ele não os tolhia, não os silenciava; ao contrário, os incentivava a falar, expressar, reagir, fazer acontecer, mesmo quando eles não tinham condições.

Era um especialista em não dar respostas prontas, mas em usar a arte da dúvida. Dava respostas fazendo perguntas. Raramente alguém provocou o psiquismo humano de forma tão positiva. É uma pena que as religiões não o tenham estudado do ponto de vista psicológico, sociológico e pedagógico.

Desde os primeiros dias de escola as crianças deveriam descobrir o prazer de expressar seus pensamentos, comentar suas opiniões. Mas não incentivamos as crianças a falar porque buscamos na sala de aula um silêncio doente, um silêncio antipedagógico, que castra o debate de ideias.

Os professores são cozinheiros do conhecimento que preparam carinhosamente o alimento para uma plateia sem apetite. Nunca os alunos estiveram tão alienados.
A. Cury, em *Projeto Escola da Inteligência*

Lembre-se de que comentei sobre a oração dos sábios, o silêncio. Esse silêncio exercido nos focos de tensão e que nos estimula a pensar antes de reagir é altamente educativo. Mas o silêncio no microcosmo da sala de aula não educa. Claro que, enquanto o professor está transmitindo as informações, o silêncio é fundamental. Mas a cada cinco ou dez minutos o professor deveria interromper o silêncio e provocar a mente dos alunos. Deveria perguntar, debater, estimular o pensamento e a expressão das opiniões.

Como os alunos estão com a SPA, eles têm conversas paralelas de qualquer maneira. Se o professor ou professora souber usar a energia ansiosa da SPA para que seus alunos decifrem o código do debate, eles os respeitarão e admirarão e, além disso, aguçarão sua concentração e assimilação. Aprenderão a ser pensadores, e não servos do sistema social.

Dois anos em que as crianças ficam enfileiradas em silêncio na sala de aula produzem zonas de conflitos no inconsciente que podem perdurar a vida toda. O fenômeno RAM (Registro Automático da Memória) produzirá inúmeras janelas killer, que promoverão o complexo de inferioridade, a timidez, a retração do trabalho em equipe, a dificuldade de expressar as ideias (Cury, 2003). Raramente alguém que frequentou a escola por muitos anos não adoeceu em alguns aspectos do seu psiquismo.

De onde vem o desconforto, a taquicardia, a perda da espontaneidade para se levantar a mão em reuniões de trabalho? De onde vem o medo de enfrentar novos ambientes e novos desafios? De onde surge a necessidade doentia de controlar os outros e de impor suas ideias? De onde nasce a necessidade neurótica de estar sempre certo? E de onde vem o famoso "branco" na memória quando somos confrontados? Das zonas de conflitos. Muitas delas produzidas ou desenvolvidas no inocente ambiente das salas de aulas.

O sistema falido

Não me canso de dizer que os professores são os profissionais mais importantes da sociedade. Lavram os solos da inteligência dos alunos para que não adoeçam e não precisem ser tratados pelos psiquiatras, para que não cometam crimes e não precisem ser julgados pelos juízes. Como psiquiatra e pesquisador da psicologia não me curvaria diante de celebridades e autoridades, mas me curvo diante dos professores.

Apesar de terem trabalhos tão dignos quanto psiquiatras e juízes, eles não têm o reconhecimento social que merecem. O desprestígio dos professores é um fenômeno universal, que atinge países ricos, emergentes e pobres. A sociedade moderna tem uma dívida impagável com os mestres. Apesar de serem profissionais nobilíssimos, os professores estão inseridos em um sistema educacional doente, falido, cambaleante.

Muitos profissionais da educação querem mudar o sistema, mas não têm meios para isso. O sistema impõe um monólogo em sala de aula, um conteúdo programático extenso e fechado e um regime rígido de provas. Creio que mais de 95% das informações que são transmitidas aos alunos não serão lembradas ou utilizadas.

A pauta educacional não deveria ser em primeiro lugar a quantidade de informações, o detalhamento de dados, mas o raciocínio esquemático, o debate de ideias, o gerenciamento da psique. A sala de aula deveria ser uma oficina onde professores e alunos são construtores do conhecimento.

Por que não incentivamos crianças e adolescentes a debater? Porque isso tumultua o ambiente. Achamos que primeiro elas precisam ter bagagem cultural, informações, para depois aprender a se expressar. Ledo engano! Depois que produzimos zonas de conflitos que bloqueiam os códigos da inteligência, queremos que falem, respeitem seus pares, não sejam alienados, tenham compromissos com a sociedade e com o futuro. Com excelentes intenções, cometemos erros educacionais imperdoáveis.

Uma pessoa que defende com segurança suas ideias é madura, mas quem a defende obsessivamente é imatura. Seus inumeráveis argumentos revelam sua insegurança. Só uma pessoa verdadeiramente madura reconhece suas fragilidades e assume seus erros.
A. Cury, em *O código da inteligência*

Não entendemos o funcionamento da mente, não entendemos como preparar o Eu como gestor do intelecto e fazê-lo decifrar os demais códigos. Muitos não sabem que nos primeiros estágios do processo de formação de pensadores o importante não é a grandeza das respostas, mas a grandeza do debate. Só anos mais tarde a grandeza da resposta terá relevância e ganhará os contornos da sabedoria.

A juventude mundial tem sido treinada sistematicamente a decifrar o código da passividade. A educação que faz da memória um depósito de informações é prejudicial à formação da personalidade, gera doenças e prejudica a saúde psíquica. Tem muito mais chances de gerar algozes do que altruístas.

Se um aluno não aprende a questionar (a) seu professor, (b) o conhecimento que lhe é transmitido nem muito menos (c) quem o produziu e (d) como foi produzido, terá grandes chances de se tornar um mero repetidor de ideias.

Sem aprender a questionar sobre esses quatro elementos, não saberá transformar informações em conhecimento, conhecimento em experiência e experiência em sabedoria. A escola clássica deveria incentivar a rebeldia saudável e não a submissão, a inquietação e não o conformismo, a participação e não a quietude, a construção e não a servidão.

A mente pensa tolices, a emoção dá crédito a elas e o Eu ingênuo paga a conta por não saber filtrá-las. A vida tão bela torna-se, assim, uma fonte de angústias.
A. Cury, em *O código da inteligência*

O embrião da formação de pensadores começa na pré-escola e no ensino fundamental. É lá que promovemos ou enterramos os futuros pensadores. Nas universidades, apenas fazemos a "missa de sétimo dia".

Para decifrar o código do debate de ideias, é necessário:

1. Ser instigado a expressar seus pensamentos.
2. Ser provocado a questionar o conhecimento transmitido.
3. Ser estimulado a indagar o processo de produção do conhecimento.
4. Saber a história básica do produtor de conhecimento, suas batalhas, dificuldades, ousadias, fragilidades; descobrir os preconceitos enfrentados, os desafios vivenciados.
5. Ter intimidade com a arte da dúvida.
6. Aprender a expor e não impor suas ideias.
7. Jamais considerar seus paradigmas, conceitos, opiniões e ideias como verdades absolutas.
8. Dar o direito para os outros confrontarem suas ideias.
9. Não ter a necessidade neurótica de estar sempre certo. Saber que a unanimidade de pensamentos é burra. A sabedoria está em respeitar as diferenças.
10. Trabalhar em equipe estimulando todos os participantes a expressar suas ideias. No ambiente do debate, trocar conhecimentos, cruzar experiências, procurar caminhos, construir metas.

Os líderes são eternos aprendizes

É quase inacreditável que estudantes de psicologia não sejam estimulados a questionar as teorias de Freud, Jung, Skinner e Piaget e a refletir como foram produzidas. Como não decifraram o código do debate, muitos se identificam com uma teoria e a abraçam como se fosse verdade absoluta. Não sabem que a verdade é um fim inatingível na ciência.

Uma teoria serve como base para interpretarmos e entendermos um paciente, sua história e a gênese de sua doença, mas jamais para colocá-lo em uma masmorra conceitual, muito menos no cárcere de um diagnóstico fechado.

> *Somente quando temos intimidade com a arte das perguntas nos tornamos eternos aprendizes.*
> A. CURY, em *Pais brilhantes, professores fascinantes*

Todo paciente tem o direito de questionar terapeutas, suas interpretações, a teoria que abraçam e o diagnóstico que recebem. Há psiquiatras e psicoterapeutas que não suportam ser questionados, criticados, indagados. São deuses tratando de seres humanos. Têm medo de perder o controle do "set" terapêutico. Não entendem que ao questioná-los, ainda que inadequadamente, seus pacientes estão exercendo uma saudável e importantíssima função da inteligência.

Independentemente da teoria que seu terapeuta abraça, todos os pacientes deveriam ser incentivados a decifrar os códigos universais da inteligência: a autocrítica, a gestão psíquica, o debate, a resiliência. Os pacientes que fazem questionamentos deveriam ser dignos de elogios. Se formos amantes da sabedoria, descobriremos que é melhor para a saúde psíquica um questionamento inadequado do que a submissão. E esse princípio é válido para todas as relações humanas.

> *Muitos homens querem ser ricos,*
> *muitos ricos querem ser reis e muitos reis querem*
> *ser deuses, mas o único homem que foi*
> *chamado de filho de Deus quis ser homem.*
> A. Cury, em O mestre dos mestres

Alguns médicos não admitem que seus pacientes sugiram um exame ou questionem o diagnóstico. Também são deuses tratando de seres humanos. Não consideram a complexidade da psique de quem tratam, seus temores secretos e conflitos latentes.

Há executivos que perseguem funcionários que não concordam com suas ideias e posição. Não admitem pessoas que pensam: querem servos. Confundem unanimidade de metas com unanimidade de pensamentos. Não entendem que abraçar metas unanimemente é importante, mas querer a unanimidade de pensamento é exercer uma ditadura. Não sabem estimular o cérebro do grupo, explorar o potencial de cada um dos liderados.

Quem não aprendeu a decifrar o código do debate de ideias tem a necessidade compulsiva de estrelismo, de ser o centro das atenções. Quem aprendeu a decifrá-lo é capaz de instruir-se com seus alunos, pacientes e colegas de trabalho. Sabe que a vida é um livro insondável e só consegue desvendá-lo quem aprende a ser um eterno aprendiz...

Pais que geram eternos meninos

Há também pais que não aceitam que seus filhos discutam suas ordens, questionem seus conceitos, debatam seus pontos de vista e seus princípios. Não admitem que sua autoridade seja desafiada. Estão aptos a lidar com números e máquinas, mas não com seres humanos.

Pais que reconhecem seus erros ensinarão o mesmo a seus filhos. Os que têm a necessidade neurótica de estar sempre certos bloqueiam o raciocínio, a argúcia, o humanismo e a segurança dos seus filhos. Terão chances de gerar pessoas autoritárias ou, ao contrário, frágeis.

Muitos filhos são agressivos, rígidos, só sabem impor as ideias. Têm péssima capacidade de negociação. Não têm flexibilidade para obter algo. Não sabem esperar para conseguir um objetivo. Não sabem se colocar no lugar do outro nem respeitar pensamentos e sentimentos alheios. São também pequenos deuses: querem que todos gravitem em sua órbita.

Por outro lado, muitos filhos são monossilábicos, tímidos, inseguros. Não deixam evoluir o pensamento, não deixam fluir o raciocínio, têm baixa autoestima e autoconfiança.

Pais que debatem ideias com os filhos os estimulam a se colocar no lugar do outro e a pensar antes de reagir. Preparam pessoas para serem atores sociais e não espectadores passivos.

O fenômeno RAM imprimirá janelas light que desenharão uma imagem excelente da personalidade desses pais na matriz do psiquismo dos filhos. A relação pai-filho terá uma envergadura saudável. E, quando for necessário colocar limites, ainda que os filhos não gostem, jamais deixarão de ser apaixonados por seus pais.

Temos de incentivar os jovens a decifrar o código do debate de ideias para que tenham opiniões próprias, não sejam submissos e monitorados por pessoas e circunstâncias. Quem não aprende a decifrá-lo será sempre flutuante e excessivamente influenciável.

Gastam-se fortunas em todas as nações para combater o tráfico de drogas. Mas os governos desconhecem que a busca pelas drogas só ocorre porque o Eu é malformado, não tem filtro psíquico, não assume seu papel de autor da sua própria história. O Eu percorrerá caminhos que não escolheu. Terá atitudes que não programou. Não saberá fazer suas escolhas. Será um eterno menino.

Possíveis consequências de quem
decifra o código do debate de ideias:

1. Torna-se seguro, determinado, resoluto, decidido.
2. Torna-se participativo, interativo, maleável, coerente.
3. É flexível, bom negociador, tem metas claras.
4. Deixa de ser instável e influenciável.
5. Tem órbita própria e opiniões definidas.

Possíveis consequências de quem
não o decifra:

1. Torna-se inseguro, tímido, frágil.
2. Não deixa o raciocínio fluir. Contrai o imaginário.
3. É instável, mutável, inconstante, tem humor flutuante.
4. É excessivamente influenciável e hiperpreocupado com a opinião dos outros.
5. Hipoteca sua paz e liberdade com facilidade, consigna sua maneira de ser e agir.

Decifrando o código do debate
de ideias: exercícios

1. Expresse o que sente e pensa com respeito. Não seja submisso nem marionete de ambientes e circunstâncias.
2. Trabalhe em equipe: valorize a força do grupo, colabore, interaja, trace objetivos, valorize ideias mesmo que inaproveitáveis. Rompa o processo de isolamento e promova a cooperação.
3. Estimule mais o time do que os indivíduos. Provoque a inteligência dos membros e explore seu potencial.
4. Exercite-se sempre a expor e não impor as ideias. Tome cuidado

com o tom de voz, a pressão e a insistência. Esses fenômenos são sintomas de que impõem suas ideias.
5. Aprenda a não ser monossilábico. Liberte o imaginário, deixe fluir o raciocínio.

Capítulo 15

Sexto código da inteligência:
código do carisma

O código do carisma é o código da capacidade de encantar, envolver, surpreender, admirar os outros e a si mesmo. É o código da afetividade, da amabilidade, da afabilidade, do romantismo existencial.

O código do altruísmo é o segredo da paixão pela humanidade; já o código do carisma é o segredo da paixão pela vida. Dificilmente desenvolvemos tranquilidade, paz interior, serenidade e felicidade sem decifrar alguns dos enigmas desses dois códigos. Não falo da felicidade utópica, irreal, delirante, mas daquela que se constrói nos acidentes de percursos, na alternância dos eventos da vida.

Quanto mais um ser humano decifra o código do carisma, mais ele se torna agradável, estimado, amado, procurado por seus mestres, alunos, avós, netos, líderes, liderados. Uma pessoa carismática e altruísta é diplomática, inspiradora, influenciadora.

Quem decifra o código do carisma vive melhor, ama mais, curte mais a vida. Supera o cárcere da rotina, rompe as tramas da mesmice. Entende que nem milhões de livros podem explicar minimamente a existência. Questiona-se com frequência "Quem sou?", "O que sou?", "O que é o teatro do tempo?". Deslumbra-se com os mistérios da vida.

Por outro lado, quem não decifra – seja um intelectual, um multimilionário ou uma celebridade – é uma pessoa sem sabor, chata,ególatra, complicada, desinteressante. Esquece que um dia irá para o túmulo como todo mortal e por isso deveria viver com mais suavidade e singeleza.

O Eu representa a capacidade de escolha e a consciência crítica. Diariamente o Eu deve escolher sair da condição de espectador passivo das suas mazelas e misérias para ser diretor do roteiro da sua história. Nessa empreitada a palavra-chave é: treinamento.
A. CURY, em *Inteligência multifocal*

Quem não decifra esse código gosta de autopromoção, exalta exageradamente seus feitos e sua cultura. Não entende que tudo o que sabe é uma gota no oceano infinito do conhecimento. Desconhece que a humildade é o nutriente da maturidade. Reclama das mesmas coisas, reage da mesma maneira. Sua vida é entediante, engessada, rígida.

Quem não decifra o código do carisma não fica assombrado com os segredos da existência. Já quem o decifra fica deslumbrado com o fenômeno da vida. Sente-se uma criança sempre à procura de coisas novas no complexo teatro do tempo.

Celebridades doentes

Há pouco tempo, meu motorista disse que já tinha trabalhado para algumas celebridades do mundo da música. Comentou que elas frequentemente entravam no carro sem saber que ele existia, sem cumprimentá-lo ou dar-lhe a mínima atenção. A vida dessas celebridades estava nas mãos desse ser humano que dirigia o carro – um acidente causado por ele seria fatal. Mas a fama as infectou, o sucesso bloqueou os frágeis códigos da inteligência.

Quem despreza a grandeza das pessoas simples não é digno de ser uma celebridade. Quem se coloca acima dos outros é emocionalmente infantil, vítima dos holofotes da mídia. Um dia, quando visitarem os vales do anonimato nem eles se suportarão. Não sabem que o auge do sucesso raramente dura mais que cinco anos.

Certa vez, eu estava dando uma conferência em um teatro enorme, mas houve um problema no computador e um funcionário se sentou debaixo da mesa que estava no centro do palco para consertá-lo. Quando o vi, pedi desculpas à plateia, interrompi minha preleção e solicitei que ele se sentasse numa cadeira.

Mas ele se recusou, pois achava que poderia atrapalhar a conferência. Eu lhe disse que ele era tão importante quanto eu e que não continuaria dando a conferência com ele sentado no chão. As pessoas reagiram com aplausos, pois todos amam ser valorizados.

O pensamento mais conhecido do mundo é "Amar o próximo como a si mesmo". Poucos entendem que ninguém pode amar profundamente seus filhos, cônjuge e amigos se primeiramente não for apaixonado pela sua vida. Só quem tem um romance com a própria história poderá amar a história dos outros.
A. Cury, em Os segredos do Pai-nosso

Algumas pessoas não compreendem por que procuro agradecer às pessoas que me servem. Não faço isso como esforço para ser humilde, mas porque sei que, de fato, elas são dignas de reconhecimento. Já tratei de celebridades e de pessoas riquíssimas, mas tive o privilégio de entrar na história de pessoas simples e descobrir que são estrelas vivas no teatro da existência.

Mesmo um psicótico tem uma criatividade indecifrável. Basta sair do superficialismo e perguntar-lhe como se forma uma alucinação, como os fenômenos que estão nos bastidores da mente acessam a complexa memória e produzem ideias delirantes. Só não consegue se encantar com o ser humano quem é escravo dos seus preconceitos.

Para decifrar o código do carisma é necessário aprender as seguintes ferramentas:

1. Elogiar quem está próximo.
2. Exaltar e agradecer às pessoas com funções simples mas fundamentais, como cozinheiros, garçons, porteiros, seguranças.
3. Ter prazer com o sucesso dos outros.
4. Ter prazer em ser altruísta.
5. Ter um romance com a vida.
6. Reciclar o ciúme oculto, a inveja sutil.
7. Romper o cárcere do tédio. Surpreender a si e aos outros.
8. Aprender a valorizar o que se tem, e não o que não tem.

O gato, o rato e o código do carisma

Minhas duas filhas menores, hoje adolescentes, pareciam gato e rato até os 12 anos. A diferença entre as duas é de menos de um ano. Raramente vi duas crianças brigarem tanto e com tanta frequência. Eram egoístas, especialistas em disputar uma com a outra, não sabiam dividir seus pertences, nem mesmo um mísero batom.

Não aprenderam essas características comigo nem com minha esposa. Como eu disse, o egoísmo, o personalismo e o egocentrismo não precisam de modelos para se desenvolver. São características que se desenvolvem ao sabor do instinto de sobrevivência, são tecidas espontaneamente no processo de formação da personalidade.

Pessoas saudáveis têm mais condições de contribuir para formar pessoas saudáveis. Pessoas flexíveis e com autoestima elevada têm mais condições de educar pessoas livres e bem-humoradas.
A. CURY, em *12 semanas para mudar uma vida*

Estava preocupado com o comportamento delas, pois muitos irmãos constroem péssimas relações depois de adultos porque não aprenderam a superar seus ciúmes, diferenças e disputas. Sabia que não era suficiente ser um manual de regras e de ética ou um educador que colocava limites. Era necessário ajudá-las a tecer a colcha de retalhos da personalidade delas com o código do carisma, do altruísmo e do debate de ideias.

Foi o que fiz pouco a pouco, momento após momento. Para debelar o sentimento de inveja, comum na adolescência, mas que não pode cristalizar-se na vida adulta, estimulei-as a ter prazer com a felicidade uma da outra, a descobrir a alegria de dividir e o regozijo de elogiar a irmã. Encorajei-as a comprar pequenos presentes, singelas lembranças, uma para a outra.

Para alicerçar o Eu como gestor da psique de maneira simples, levei-as a aprender a se colocar no lugar uma da outra, a pensar antes de reagir e a ter coragem de reconhecer suas falhas e reciclar a necessidade de estarem sempre certas. Mostrei que a sociedade não precisa de heróis, mas de seres humanos.

Encorajei-as a não ter medo de pedir desculpas quando errassem. E, para sair do campo teórico, eu mesmo pedi desculpas a elas várias vezes, quando me exasperei ou levantei a voz desnecessária e desproporcionalmente. Em vez de perder minha autoridade, eu crescia dentro delas à medida que me diminuía fora delas.

---

*Os insensíveis não sentem culpa, os hipersensíveis
a têm exacerbada. Os insensíveis não sentem a dor do outro,
os hipersensíveis a sofrem como se fossem sua. Os insensíveis são
algozes dos outros, os hipersensíveis são carrascos de si mesmos.*
A. Cury, em O código da inteligência

Comentei que quando se tornassem adultas, poderiam precisar muito uma da outra. Dei uma série de exemplos de irmãos ajudando irmãos ou se afastando uns dos outros. Tenho muitos defeitos como ser humano, mas plantei sementes como educador. Um semeador quando sepulta suas sementes não sabe quais serão os resultados. Frequentemente se surpreendem.

Minhas filhas têm me surpreendido pela amabilidade e pela generosidade que desenvolveram. Os atritos que aconteciam de hora em hora, passaram a ocorrer de semana em semana e depois de mês em mês. Hoje raramente discutem e, quando o fazem, logo se reconciliam. Elas se elogiam, se procuram, se amam. Aprenderam o prazer de se doar e dividir seus sentimentos.

São apaixonadas uma pela outra e se consideram melhores amigas. Quem as vê conversando, brincando, se divertindo juntas, fica encantado. Raramente se vê irmãs tão unidas. Uma coisa me deixou particularmente feliz. Um dos seus professores disse que elas poderiam ser muito orgulhosas, mas estavam entre as garotas mais humildes e carismáticas da escola.

Servos dos filhos

Carisma é fundamental tanto para existirmos quanto para nos relacionarmos. Existem dois tipos de carisma, o social e o psíquico. O carisma social tem a ver com encantar as pessoas, surpreendê-las, envolvê-las. O carisma psíquico significa ter um romance com a própria vida, curti-la, desfrutá-la prazerosamente. O código do carisma pode ser conquistado e perdido ao longo do traçado da existência.

O silêncio é a oração dos sábios. Sem a oração do silêncio é impossível pensar antes de reagir. Sem pensar antes de reagir é impossível não cometer erros crassos.
A. Cury, em O mestre da vida

Há pais que nunca elogiaram seus filhos, mas querem receber elogios deles. Raramente os beijam, mas querem receber afeto. Raramente são compreensivos com os desacertos deles, mas exigem uma mente compreensiva. Querem o retorno do que não ensinaram.

Um pai carismático procura instigar, brincar, viver aventuras com seus filhos. Em alguns momentos, é um palhaço; em outros, um mestre. Em alguns momentos, é paciente; em outros, é exigente. Sabe que há momentos para disciplinar e cobrar e outros para se doar e abraçar. São dosados, maleáveis.

Por outro lado, há filhos que jamais aprenderam a agradecer a seus pais pelo alimento sobre a mesa, a escola que frequentam, as roupas que vestem, mas querem que seus pais reconheçam seu valor. Pensam que tudo o que recebem é mera obrigação deles. Sim, seus pais têm o dever de dar suporte para que sobrevivam, mas eles têm o dever de agradecer pelo que têm.

Nas relações desiguais (psicoterapeuta-paciente, professor-aluno, executivo-funcionário) é fácil para os que estão em uma posição superior silenciar os que estão em uma posição inferior. Quem usa o poder para impor suas ideias não é digno do poder do qual está investido.
A. CURY, em *O código da inteligência*

Quem não decifrar a arte de agradecer dificilmente será uma pessoa carismática, encantadora, apaixonada pela vida. Pais que não ensinam a seus filhos a arte de agradecer cometem um erro grave. Serão servos desses filhos, vassalos dos seus feudos.

Inteligência carismática é inesquecível

Um empresário ou executivo carismático desperta fascínio e respeito em seus funcionários. Mas os que são arrogantes despertam inveja e repúdio. Um líder mesquinho em distribuir elogios dificilmente criará vínculos com seus liderados, raramente explorará o potencial neles represados.

Quais professores são inesquecíveis pelos alunos? Não são os mais cultos e nem os mais eloquentes, e sim os que mais encantam e são admirados. Obviamente há exceções, mas frequentemente são os que mais influenciam a personalidade dos seus alunos. São os que, na visão de Immanuel Kant, formam o homem de entendimento, depois o homem de razão, e, finalmente, o homem de instrução, o aplicador do conhecimento aprendido (Duarte, 1993).

O homem do entendimento é formado, em primeiro lugar, pela personalidade do mestre; em segundo lugar pelo conhecimento que transmite. A educação que forma seres humanos completos é a educação que lapida consciência de si e do papel social, que não desiste, que cria vínculos, apoia e contribui, inclusive com os que nos decepcionam.

Certa vez, ao dar um curso para professores universitários das mais diversas áreas, como sociologia, psicologia, administração, pedi aos participantes que jamais abandonassem os alunos que vivem às margens da classe. Comentei que um bom professor valoriza quem tira as melhores notas, enquanto um excelente mestre também valoriza e cria vínculos com os mais fracos.

Comprometeram-se a dar atenção aos que perturbam o ambiente, são relapsos, têm baixo rendimento intelectual e vivem alienados. Certamente farão a diferença no teatro da educação, prevenirão muitos transtornos psíquicos, inclusive suicídios e violência social.

O educador que forma pensadores não é o que controla, mas o que liberta; não é o que pune, mas o que encoraja; não é o que desanima, mas o que estimula a começar tudo de novo. Não é o que distribui conselhos previsíveis, mas o que surpreende.

Se a sala de aula for um monólogo onde um fala e todos escutam, formaremos repetidores de ideias. Se a sala de aula for um teatro onde professores e alunos são atores coadjuvantes da produção de conhecimento, formaremos pensadores.
A. Cury, em *Pais brilhantes, professores fascinantes*

Quem aprender a decifrar o código do carisma na sua instituição, escola ou empresa encontrará um tesouro que reis não possuíram. Deixe-me dar o exemplo de um rei que desmoronou porque colocou à venda seu maior tesouro.

Perdendo o carisma: deixando de se surpreender

Salomão, rei judeu e um grande sábio, fez um diagnóstico pessimista sobre a vida: *tudo é vaidade; nada de novo ocorre debaixo do sol*. Para ele, o ser humano estava condenado à masmorra da mesmice. Por mais culto que fosse, por mais conquistas que tivesse, seria aprisionado no cárcere do tédio sem grande sentido existencial.

Mas será que o rei Salomão tinha razão? No fundo tudo se repetiria e se tornaria uma fonte de tédio? O ser humano estaria destinado a ter a felicidade como eterna ilusão? O sorriso do palhaço seria sempre um disfarce? O prazer de viver se esgotaria pouco a pouco, da meninice à velhice?

Uma pessoa é tanto mais madura não quanto mais julga os outros, mas quanto mais julga a si mesma. Não quanto mais critica os comportamentos dos que a rodeiam, mas quanto mais se coloca no lugar delas.
A. Cury, em *12 semanas para mudar uma vida*

Salomão era uma pessoa carismática, envolvente, agradável. Reis e súditos, sábios e príncipes o admiravam. Mas cometeu um erro gravíssimo. Como todo rei, se envolveu em excesso de atividades. E, de modo particular, não converteu seu carisma social em carisma psíquico. Era grande no teatro social, mas se apequenou no teatro emocional. Deixou de se surpreender, de ter um romance com sua existência.

Seu maior erro foi ter imprimido um ritmo de prazer fundamentado em grandes eventos, belos jantares, reuniões de cúpula, palácios, vestes deslumbrantes, carruagens. Na linguagem de hoje, viveu no rigor da moda e embriagado com bens materiais. Caiu em uma insidiosa armadilha psíquica.

Sem saber, construiu uma plataforma de janelas doentias na grande cidade da memória. Saturou-se de tédio. Nada o encantava. Envelheceu não sendo velho. Perdeu o prelúdio do mundo, o charme da brisa, a graça do sorriso de uma criança. Escreveu um livro belíssimo, mas de um pessimismo sem precedente. Tudo se tornou uma fonte de vaidade.

Sua emoção deixou de se excitar com a grandeza das coisas pequenas, um risco altíssimo para desenvolver depressão. O homem admirável esfacelou o sentido da vida. Deixou de decifrar o código do carisma, sua existência tornou-se um peso, e não uma aventura. Era ainda um homem inteligente, mas chafurdou na lama do tédio, tornou-se um ser humano mórbido, uma celebridade emocionalmente doente.

Possíveis consequências de quem decifra
o código do carisma:

1. Torna-se uma pessoa agradável, envolvente, encantadora.
2. Inspira os que estão próximos, estimula positivamente a inteligência deles.
3. Torna-se facilmente um líder nos ambientes que frequenta, ainda que não tenha cargo de destaque.
4. Rompe o cárcere do tédio, vive a vida com mais aventura e deleite.
5. Valoriza muito mais o que tem do que o que não tem.

Possíveis consequências de quem não o decifra:

1. Vive entediado, ensimesmado, preso nas tramas da mesmice.
2. Torna-se insatisfeito, irritadiço, infeliz. O sucesso e a felicidade dos outros o perturba.
3. Reclama excessivamente, tem atitude pessimista diante da vida.
4. É vítima do ciúme e da inveja.
5. Não encanta e nem causa admiração nas pessoas.

Decifrando o código do carisma: exercícios

1. Tenha prazer em elogiar e contribuir com os outros.
2. Surpreenda a si mesmo e aos outros. Valorize e agradeça a todas as pessoas que contribuam com você.
3. Não se deixe enredar pelo ciúme e pela inveja. Tenha prazer com o sucesso dos outros e, dentro do possível, procure contribuir com eles.
4. Valorize as pequenas coisas. Jamais despreze os pequenos começos e as pequenas coisas.
5. Cultive diariamente um romance com a vida.

Capítulo 16

Sétimo código da inteligência:
código da intuição criativa

O código da intuição criativa liberta o imaginário, expande a inventividade, produz novos conhecimentos e refina o olhar multifocal diante dos fenômenos físicos, psíquicos e sociais para vê-los sob múltiplos ângulos. É o código que alicerça o processo de observação, dedução, indução, raciocínio esquemático.

Não é um código mágico e/ou supersticioso, mas nos faz ousar, arriscar, atrever, aventurar, nos anima a andar por trajetórias nunca antes traçadas, por aventuras nunca antes programadas.

Esse código financia os insights, as sacadas, as descobertas imediatas, os estalidos intelectuais. Ele nos dá subsídios para produzir soluções não vistas e saídas não enxergadas.

Carl Gustav Jung pode ser considerado o primeiro psicólogo transpessoal. Ainda que Freud e muitos de seus discípulos tenham ido muito a fundo nas suas revisões da psicologia ocidental, atingindo os limites do paradigma cartesiano na psicologia, apenas Jung questionou radicalmente os fundamentos da visão de mundo lógica de Descartes e Newton (Jung, 1961).

Jung salientou, de modo convincente, aspectos não racionais e não lineares da psique, que inclui o misterioso, o criativo e o espiritual como meios válidos, ou formas intuitivas de conhecimento.

No livro *Maria, a maior educadora da História*, comentei que para educar o menino Jesus sem apoio de educadores, correndo o risco de ser apedrejada e passando por privações e humilhações ao fugir para o Egito, Maria teve que usar a sua intuição criativa. Caso contrário, não transcenderia seus obstáculos, não sobreviveria física ou psiquicamente.

> Nos primeiros trinta segundos de tensão cometemos os maiores erros de nossa vida. A sabedoria recomenda que quando somos contrariados, não deveríamos estar debaixo da ditadura da resposta, mas no oásis do silêncio.
> A. Cury, em Os segredos do Pai-nosso

Imagine uma jovem de 15 anos, anunciada para ser a mulher das mulheres, de repente tendo em seu encalço soldados destilando sangue nas mãos. Como entender o inexplicável? Como suportar o chamado para ser a mais elogiada das mulheres e, na realidade, ser tratada como uma das mais miseráveis? Poderia pensar que sua missão era um delírio, desenvolver depressão e se perder nas tramas do medo e da insegurança.

Todavia, para surpresa da psicologia, a mãe do menino mais complexo que pisou nesta terra esvaziou-se dos seus preconceitos, aceitou o inadmissível, libertou seu imaginário e usou sua intuição criativa não para reclamar, mas para encontrar soluções. Não à toa uma adolescente foi escolhida para um papel no qual notáveis fariseus e filósofos gregos provavelmente falhariam.

Arrisco-me a dizer que um dos grandes motivos da escolha por ela foi sua capacidade de decifrar os códigos do altruísmo, da resiliência, do carisma e do Eu como gestor psíquico desde a sua meninice. Se não os tivesse decifrado não teria sobrevivido, não teria se tornado insubstituível.

Quem quer decifrar o código da intuição criativa deve aprender as seguintes ferramentas:

1. Fazer um mergulho introspectivo e abrir o máximo de janelas da memória diante dos seus focos de tensão.

2. Expandir o uso do pensamento multiangular tanto ou mais do que o do pensamento dialético.
3. Não cair na armadilha dos paradigmas rígidos, das soluções prontas e das respostas fechadas.
4. Ser resiliente. Enxergar o caos como oportunidade criativa.
5. Desengessar a mente humana. Ter coragem para percorrer caminhos inexplorados.
6. Não ter medo de pensar diferente.

Os melhores alunos no teatro social: a grande surpresa

Mas quem decifra a sua intuição criativa? Somos treinados para dar respostas fechadas, começando pelas provas escolares. Existe uma ideia acadêmica falsa sustentando que os melhores alunos são os que tiram as melhores notas, os que registram com mais exatidão as informações nas provas.

O conformista não batalha pelo que ama por medo da rejeição. Não expande seu espaço por medo da crítica. Prefere ser vítima a agente modificador da sua história. Prefere ser amante da insegurança a parceiro do entusiasmo.
A. CURY, em *O código da inteligência*

Esse conceito pode ser uma verdade para os anais da escola clássica, mas não para a escola da existência, a escola social. Os melhores alunos no teatro social são os que aprendem a decifrar intuitivamente os códigos da inteligência. São os que expressam seus pensamentos, ousam, criam, inventam, imaginam. São os que caem, levantam e não desistem de caminhar. São os que encantam, envolvem, lideram.

Um dia desses, uma de minhas filhas me disse que em sua escola os alunos são classificados pelas notas. E o que é pior, na porta da classe fica afixada a lista de classificação. Fico pensando no conflito que a escola causa nos alunos que estão nos últimos lugares.

Como relatei no livro *Nunca desista dos seus sonhos,* quando estava no ensino médio minha nota era a segunda da classe, só que de baixo para cima. Ninguém apostava em mim, ninguém acreditava que eu faria uma universidade ou que me tornaria alguém. Eu dava motivos de sobra para pensarem assim.

Além de minhas notas serem péssimas, não anotava nada que os meus professores transmitiam em sala de aula. Acho que tive apenas um caderno nos três anos de ensino médio. Vivia alienado. Nem os botões da minha camisa eu abotoava certo. Era um especialista em viajar em minha mente e produzir ideias desconectadas com a sala de aula. Mas tinha um sonho: fazer medicina e ser um cientista. Parecia um delírio para muitos. Mas quando os sonhos são projetos de vida, eles mudam nossa história; quando os sonhos são apenas desejos superficiais de mudança, não têm impacto em nossa história.

> *O tempo é o melhor remédio para aproximar*
> *os que se odeiam e distanciar os que se amam.*
> *Dependendo de como lidamos com o tempo, ele será*
> *um grande amigo ou um grande inimigo.*
> A. Cury, em *O vendedor de sonhos II – A missão*

Aprendi a fazer a mesa-redonda do Eu. Reuni-me intuitivamente com meu desleixo, alienação, falta de concentração, baixa autoestima, sentimento de incapacidade. Repensei minha história, reinventei minha trajetória. A mesa-redonda do Eu me fez gestor do meu intelecto e me levou a unir o fenômeno do sonho com o fenômeno da disciplina, do treinamento, da transpiração. Fiz uma excelente descoberta. Descobri que os sonhos sem treinamento produzem pessoas frustradas e que treinamento sem sonhos produz pessoas autômatas, que obedecem a ordens e não pensam.

Comecei a estudar mais de 12 horas por dia para entrar na faculdade de medicina. O inacreditável aconteceu. Passei no vestibular. Desejei não ser um médico comum; não queria apenas entender as doenças cardíacas, pulmonares, hepáticas, mas também como os pacientes pensavam, desenvolviam sua personalidade, construíam suas zonas de conflitos, construíam suas fobias, sua ansiedade, seu humor depressivo. Como um desesperado, queria saber por que algumas pessoas saíam do rol dos comuns e produziam o fantástico mundo das ideias.

Pensava, escrevia, refletia. Acumulava cadernos e mais cadernos em uma era em que havia poucos computadores. No sexto ano de medicina, passava mais de quatro horas no diretório acadêmico escrevendo em minha velha máquina sobre psicologia e filosofia da mente. Parecia loucura, mas eu havia libertado o pensamento multiangular: não conseguia deixar de criar, construir, imaginar.

Os professores são profissionais mais importantes do que psiquiatras e juízes. Lavram os solos da inteligência dos alunos para que não adoeçam e não sejam tratados pelos psiquiatras, para que não cometam crimes e não sejam julgados pelos juízes.
A. Cury, em *Pais brilhantes, professores fascinantes*

Meus colegas não entendiam meu sonho, mas ele me controlava. Minha esposa, também estudante de medicina, tampouco me entendia. Já estávamos casados havia um ano. Eu era um dos mais "duros" alunos da faculdade, não tinha dinheiro para ir ao cinema ou a um restaurante. Mas não reclamava. Logo após conhecê-la, consegui levá-la para tomar um suco em uma lanchonete. De repente, caiu um papel amassado do meu bolso, com minhas anotações.

Ela perguntou do que se tratava. Um pouco constrangido, disse que estava escrevendo sobre o comportamento humano e que pensava em publicar uma nova teoria psicológica sobre o funcionamento da mente.

Ela levou um susto. Torceu o nariz. E deve ter se perguntado: "Em que fria estou entrando?" Como o amor é ilógico, começamos a namorar. Na época eu não tinha carro, a levava de ônibus para casa. Não havia glamour. Certa vez, seu pai me convidou para almoçar em sua casa, e, envergonhado, não aceitei.

Por fim, ela se casou com esse excêntrico estudante de medicina. Certa vez, fez uma limpeza na casa e, como ainda não valorizava meus escritos, sem perceber jogou no lixo vários dos meus cadernos de anotações. Ela sabia que eu não conseguia parar de pensar. Sabia que eu fazia o que amava. Eu vivia num campo fértil, porém saturado de tempestades. Mas aprendi que os perdedores veem os raios e os vencedores veem no mesmo ambiente a chuva e com ela a oportunidade de lançar suas sementes.

Passaram-se mais de dezessete anos, e eu havia escrito milhares de páginas sem convicção de que um dia seriam publicadas. De fato, ninguém as quis. Foi uma peregrinação de editora em editora. Não tive apoio de nenhum escritor, pois não conhecia nenhum. Aliás, conheci rapidamente um que me virou as costas. Não tive apoio de nenhum amigo ou parente, pois ninguém conhecia uma editora nem sabia como publicar livros.

A maior tarefa de um ser humano é ser líder de si mesmo,
e a maior tarefa de um líder é sair da plateia, entrar no
palco da sua mente e ser autor da sua história.
A. Cury, em *Seja líder de si mesmo*

Meus textos eram complexos; eu não havia traduzido minhas ideias em palavras simples nem havia feito aplicações práticas na psicologia, pedagogia e sociologia, como faço hoje. Depois de um longo tempo de espera, finalmente publiquei meu primeiro livro, *Inteligência multifocal*, mas me decepcionei. Quase ninguém entendeu o que escrevi. Então, resolvi traduzir minhas teorias em conceitos mais compreensíveis e aplicações práticas; resolvi democratizar a teoria. Dessa vez, deu certo.

Vinte anos depois, em um sábado à tarde, eu e minha esposa estávamos na mesma lanchonete de quando ela descobriu que eu estava escrevendo sobre a mente humana. Nunca mais entráramos naquele lugar, pois tínhamos mudado de cidade. Justamente naquele dia havia saído uma grande reportagem em um jornal de circulação nacional dizendo que eu era o escritor mais lido do país e que milhões de pessoas em várias nações liam minhas ideias.

Meus olhos se encheram de lágrimas. Comecei a recordar os anos em que decifrei o código da resiliência. Foram muitas noites de insônia, rejeições, incompreensões e dificuldades quase intransponíveis, mas sobrevivi. Sempre tive a convicção, ao estudar o teatro da mente humana, e muito mais hoje, ao escrever *O código da inteligência*, de que ninguém é maior ou melhor do que ninguém. Cada ser humano é um mundo insondável a ser desvendado, mesmo os que vivem à margem da sociedade. Como veremos, cada ser humano pode desenvolver o raciocínio histórico-social, histórico-psíquico, gerencial, esquemático e ir mais longe do que eu.

---

*O Homo sapiens aprendeu a atuar no teatro social
com brilho, mas não no teatro psíquico para filtrar estímulos
estressantes, gerir seus pensamentos, proteger sua emoção.
Somos tímidos espectadores onde deveríamos ser ágeis atores.*
A. Cury, em *O código da inteligência*

Já escrevi 24 livros e o que me alegra não é a fama, mas o fato de ser útil, de saber que diversos profissionais estão aplicando meus conceitos em sala de aula, nos consultórios de medicina e psicologia e na área de recursos humanos.

Não gosto dos holofotes da mídia, pois sou um mero passante no teatro do tempo. Como digo em *O vendedor de sonhos*, "sou um eterno aprendiz que no traçado da história tenta entender quem sou. Sou apenas um caminhante à procura de mim mesmo".

O que quero enfatizar ao contar a minha história é que era o mais alienado aluno da escola e por fim passei a ser lido por intelectuais, autor de livros utilizados em universidades e teses acadêmicas. Entre algumas homenagens que me deram, recebi o título de membro de honra de uma academia de gênios de um instituto europeu. Eu, um gênio? Um membro de honra entre os gênios? Não creio. Eles não conhecem meu passado. Brinco dizendo que eu engano muito bem.

Brincadeiras à parte, acredito que cada ser humano tem uma genialidade que ultrapassa os limites do código genético e que pode ser trabalhada, lapidada, esculpida, pelos códigos da inteligência. Nunca devemos desprezar um aluno, por mais que ele nos decepcione. Nunca devemos excluir ou rotular um estudante por pior desempenho que tenha nas provas escolares.

Se fizermos uma pesquisa para ver quais são os alunos que melhor se saíram fora do ambiente escolar, não encontramos uma relação completamente lógica entre aqueles bem-sucedidos e os que tiraram as notas altas na escola clássica. Claro que é importante tirar notas excelentes. É importante estudar e aprender. A quantidade de informações que temos é uma das variáveis para o nosso êxito. Mas a qualidade e a utilização multifocal delas são mais importantes. Devemos ter claro que o aproveitamento nas provas é insuficiente para ser inventivo, versátil, seguro, competitivo, arrojado, determinado.

As provas escolares não avaliam os complexos códigos da autocrítica, da resiliência, do carisma, do debate, do altruísmo, da intuição criativa, apenas avalia os dados objetivos. A utilização errada das provas pode destruir pensadores. Não avaliam os fenômenos intrínsecos da mente humana que são essenciais para quem quer sobreviver com saúde e competência no teatro social. Elas não avaliam os cinco grandes tipos de raciocínios não lineares. Só avaliam um tipo, o lógico-matemático. O que indica que essa avaliação é parcial, desastrosa e destrutiva. Vejamos.

Alguns escalam íngremes montanhas, mas se intimidam diante dos cumes das suas frustrações. Outros navegam na voragem do mar, mas afundam aos primeiros vagalhões das suas angústias. Tornaram-se grandes aventureiros no mundo físico, mas frágeis caminhantes no mundo psíquico.
A. Cury, em *12 semanas para mudar uma vida*

Três tipos de pensamentos: a escolha errada

A partir de agora, comentarei um dos maiores erros no processo de formação de pensadores ocorrido na história. As sociedades e as escolas, incluindo as universidades, elegeram, sem ter consciência dessa eleição, o pensamento mais pobre e restritivo no processo de aprendizagem para desenvolver o intelecto humano e suas múltiplas formas de raciocinar, pensar e criar. Elegeram de forma equivocada porque não sabiam que existia mais de um tipo de pensamento.

As brilhantes teorias psicológicas, como as de Freud, Jung, Skinner e Piaget, não abordam sistematicamente os tipos de pensamentos que se encenam no teatro psíquico e o modo como se processa a sua complexa construção. Essas teorias usaram o pensamento para discorrer sobre a personalidade, as doenças psíquicas, o aprendizado. Os grandes pensadores pouco usaram o pensamento para pensar o pensamento.

Se analisarmos dia e noite, mês após mês, como funciona nossa mente e registrarmos toda essa análise, é possível concluir que existem pelo menos três grandes tipos de pensamento. Dois conscientes e um inconsciente. O pensamento inconsciente é chamado na Psicologia Multifocal de essencial. Os outros dois conscientes são chamados de antidialético e dialético.

> Um ser humano sem história é um livro sem letras, uma
> foto sem imagem, um rio sem nascente. Com lágrimas
> ou júbilo, acertos ou falhas, nossa história
> é um tesouro insubstituível...
> A. Cury, em *Treinando a emoção para ser feliz*

Antes de descrevê-los, quero lembrar que a memória do córtex cerebral não se abre completamente a todo momento, mas por territórios específicos de leitura, por grupos de janelas. O córtex tem milhões de janelas e cada janela contém pelo menos milhares de experiências e informações. Através das janelas nós interpretamos os estímulos, vemos a vida e reagimos aos eventos.

Quanto maior o número de janelas abertas maior será a dimensão do raciocínio. Se o número de janelas for restrito, podemos transformar uma barata em um dinossauro, um elevador em um cubículo sem ar, um conflito em uma guerra sem fim. Podemos não resolver atritos, conflitos, relações tensas. Eis a grande questão.

O problema é que o pensamento usado na educação e na comunicação social, o pensamento dialético, é apoiado em um número reduzido de janelas. O uso excessivo do pensamento dialético travou a inteligência humana. Só alguns vencem esse bloqueio e brilham como pensadores.

> Quem olha para baixo vê o mundo do tamanho dos
> seus passos. Quem olha para o alto vê o mundo
> espetacularmente grande, um mundo de
> oportunidades a ser explorado.
> A. Cury, em *O mestre inesquecível*

A magnífica construção

O termo dialético aqui usado não tem o mesmo significado de determinadas teorias filosóficas. Dialético aqui significa a construção estrutural do pensamento a partir de um sistema de símbolos definidos, lógicos, formatados, em especial dos símbolos da linguagem.

O pensamento dialético é aquele que se processa em nossa mente através de uma voz inaudível, silenciosa. É possível que esse tipo de pensamento inicie sua formação na vida intrauterina, mas essa construção acelera a partir da vida extrauterina, quando o bebê tem contato com a linguagem ou códigos linguísticos.

Depois de milhares ou milhões de códigos linguísticos, contendo palavras, verbos, substantivos, e inúmeras associações e significados, arquivados nas janelas da memória pelo fenômeno RAM, entram em cena outros fenômenos inconscientes que começam a ler espontaneamente esses arquivos e processar a construção do pensamento dialético. Esse pensamento é frequentemente unifocal – foca apenas um ângulo –, e por isso também o chamo de pensamento uniangular.

> *Por que as sociedades modernas estão se tornando uma indústria de pessoas doentes? Porque o sistema educacional está doente. Quanto pior a qualidade da educação, mais importante será o papel da psiquiatria e da psicologia clínica neste século.*
> A. Cury, em *O vendedor de sonhos*

No caso dos surdos, a formação desse tipo de pensamento se processa a partir da linguagem dos sinais visuais. Através dos pensamentos dialéticos realizamos a maior parte das tarefas intelectuais, produzimos ideias (cadeias de pensamento), descrevemos intenções, discorremos situações, processamos leitura, estabelecemos diálogos.

Portanto, os pensamentos dialéticos representam um sistema de código linguístico mental aprendido a partir do sistema de código linguístico sonoro ou visual. Esse sistema é traduzido em palavras, gestos e textos muito mais facilmente do que os pensamentos antidialéticos.

Como é reduzido o número de janelas que dão sustentabilidade para os pensamentos dialéticos, também será a dimensão dos diálogos, da interpretação dos textos, das ideias. Levarão em conta apenas um ângulo, um ponto de vista, um cenário, enquanto o ideal é que levasse em conta múltiplos ângulos.

O outro pensamento consciente é chamado de antidialético, multiangular ou multifocal. Como o próprio nome indica, não tem uma linguagem definida, formatada, fechada. Ele começa a ser formado mais cedo do que o dialético, dentro do útero materno, e se expande na vida extrauterina, em especial quando temos contato com o universo das imagens e das percepções.

Usamos os pensamentos antidialéticos para decifrar sentimentos, aspirações, sensações, experiências complexas, para imaginar, fantasiar, produzir imagens mentais. O número de janelas em que o pensamento antidialético se apoia é muito maior do que o dialético. Por isso o chamo também de multiangular, pois nos faz ver os fenômenos por vários ângulos ou focos.

Às vezes estamos angustiados. Sabemos disso pelo pensamento multiangular, mas quando tentamos descrever nossas angústias por meio das palavras, portanto, dialeticamente, as pessoas muitas vezes não nos entendem.

A sabedoria de um ser humano não reside em quanto tem consciência de que sabe, mas em quanto tem consciência de que não sabe. A consciência da própria ignorância é o primeiro passo em direção à sabedoria.
A. Cury, em *O futuro da humanidade*

Quantas vezes tentamos explicar nossos conflitos, temores, preocupações e não conseguimos nos fazer entender? É muito difícil fazer as pessoas entenderem o mundo sem os símbolos das emoções, dúvidas, frustrações, mágoas. Nós usamos palavras de forma unifocal e esperamos que quem nos ouve enxergue as várias facetas dos nossos sentimentos. Tarefa complexa para uma mente que não aprendeu a linguagem multiangular.

Um quadro de pintura mental

Para entender melhor os três tipos de pensamento, imagine um quadro de pintura com mar, ondas, nuvens, sol. Sabemos que uma imagem vale mais que mil palavras.

Figurativamente falando, podemos dizer que a imagem do quadro com toda a sua estética é o pensamento antidialético ou multiangular. A descrição da imagem é o pensamento dialético; o pigmento da tinta, o pensamento essencial.

O pensamento multiangular e o dialético são virtuais e, por isso, têm uma complexidade e uma liberdade criativa indecifráveis. Somente por isso podemos pensar no passado e no futuro, sendo que a única coisa real é o presente. Somente por serem virtuais podemos pensar em objetos e pessoas sem que eles estejam concretamente dentro de nós.

A imagem do quadro é mais complexa do que sua descrição minimalista – o que demonstra que o pensamento multiangular é mais complexo do que a descrição dialética do quadro. Basta colocar o olho e temos milhões de detalhes sem precisar descrevê-los.

O pensamento multiangular, como em frações de segundos faz uma leitura de centenas ou milhares de janelas da memória simultaneamente, é usado em todas as vertentes da imaginação, análise, reflexão, interiorização, intuição criativa. As pessoas cegas de nascença também produzem com muita destreza o pensamento multiangular. Reproduzem imagens mentais, são capazes de pensar "colorido". O imaginário tem uma versatilidade indecifrável.

A imaginação não tem um sistema de código linguístico definido, formado, lógico. É apoiada em múltiplas áreas conscientes e inconscientes da memória, tendo, portanto, grande amplitude histórica, existencial, emocional, esquemática. Por outro lado, o pensamento dialético é apoiado em um número restrito de janelas, tendo, portanto, uma amplitude pequena, além de sofrer a restrição imposta pela necessidade de ser traduzido linguisticamente.

Todavia, em vez de usarmos o pensamento multiangular como ferramenta fundamental para desenvolver os amplos aspectos do raciocínio, usamos o pensamento uniangular, que é fechado, estritamente lógico.

Pais, professores, profissionais liberais, executivos e diplomatas usam, frequentemente, o pior tipo de pensamento para compreender, intervir, raciocinar. Cometem erros graves de avaliação dos seus filhos, alunos, colegas. Julgam de forma precipitada, criticam sem se colocar no lugar deles, sem enxergar suas falhas por múltiplos ângulos.

Esse erro gerou e tem gerado consequências sérias na formação de pensadores, na construção de soluções para conflitos interpessoais e raciais, e na produção de uma sociedade mais justa e permeada com os códigos sobre os quais estamos discorrendo.

As palavras traem: erro de diagnóstico

Um jovem disse: "Devemos sempre ser amáveis com as pessoas. É ótimo ajudá-las e cuidar do seu bem-estar." Outro expressou o pensamento: "De vez em quando é bom ajudar as pessoas." Quem produziu o pensamento multiangular?

Não dá para saber apenas julgando os códigos dialéticos. Se julgarmos, poderemos errar muito, como erram os que se encantam com as palavras de políticos, celebridades e líderes espirituais exploradores.

Em nosso exemplo, parece que foi o primeiro jovem que produziu o pensamento mais profundo, multiangular, antidialético; mas, na verdade, foi o segundo. O primeiro produziu uma frase linda, mas seu pensamento é unifocal. Dentro dele as palavras "bem-estar" e "ser amável" não são apoiadas em múltiplos ângulos ou múltiplas experiências existenciais, altruístas, afetivas. Não têm o significado que imaginamos que tenham. São palavras vazias, superficiais. Observando seu histórico, descobrimos uma pessoa agressiva, egoísta, egocêntrica e violenta. Capaz de matar alguém se contrariado.

> *Quando saímos do útero materno para o útero social, choramos; quando saímos do útero social para o útero de um túmulo, outros choram por nós. Lágrimas sempre irrigam a história humana...*
> A. Cury, em O vendedor de sonhos II – A missão

O segundo jovem disse uma frase simples, mas dentro dela, na expressão "É bom ajudar as pessoas", a palavra "ajudar" tem grande significado existencial, é apoiada em vários ângulos. E a junção das palavras "é bom ajudar" foi construída sob o alicerce de múltiplas janelas que contêm emoção, preocupação, afetividade, generosidade.

As palavras e os discursos sempre nos traem, em especial quando desconhecemos o teatro psíquico. Os psicopatas disfarçam suas intenções com grande facilidade.

Os seis tipos de raciocínio

A escola tem usado sistematicamente o pensamento dialético para que os alunos aprendam a escrever, conhecer a história, interpretar textos, construir relações, se autoconhecer, fazer cálculos. Por quê? Porque ele é mais fácil de manipular, é mais lógico e comunicável.

Durante meu estudo sobre o processo de construção de pensamentos e sobre o processo de formação de pensadores, fazia-me frequentemente estas perguntas: qual o principal pensamento usado na intuição criativa? O multiangular. Qual é o principal pensamento usado pelos pensadores para produzir grandes ideias? O multiangular, mesmo que não soubessem que o estavam usando. Qual tipo de pensamento decifra com muito mais eficiência o código do Eu como gestor psíquico, do altruísmo, da resiliência, da capacidade de se colocar no lugar dos outros? Novamente o pensamento multiangular.

> *Quem não critica o que crê não lapidará suas crenças, quem não lapida suas crenças será servo das suas verdades. E se suas verdades forem doentias, certamente será uma pessoa doente.*
> A. Cury, em *O código da inteligência*

Os pensamentos dialéticos são bons tijolos para serem usados para repetir informações, pensar com lógica, obedecer a ordens, arregimentar soldados para uma guerra, mas não para criar, inventar, inovar, refazer, recomeçar, organizar, montar quebra-cabeças, refletir, vislumbrar, fazer análises históricas e existenciais. Para essas funções precisamos do pensamento multiangular.

Einstein libertou seu pensamento antidialético ou multiangular e, consequentemente, expandiu sua intuição criativa. Seu feeling – a capacidade de observar, esquematizar, imaginar, deduzir – se ampliou muitíssimo. Isso fez toda a diferença no seu processo de construção de conhecimento.

Quando Einstein morreu, um médico furtou seu cérebro porque queria estudá-lo e deixá-lo como legado para a humanidade. Que atitude ingênua! Existem córtices cerebrais privilegiados que têm uma capacidade de armazenamento de dados bem acima da média. Mas um armazém cerebral abarrotado de informações jamais determina uma capacidade de construir brilhantes ideias, argutos insights, conhecimentos novos que rompem o cárcere da mesmice. Nem muito menos determina os mais altos níveis de raciocínios.

Os principais segredos da mente de Einstein estavam nos códigos que decifrou através do pensamento multiangular, e não no seu córtex cerebral. Estavam na sua capacidade de imaginação, e não na capacidade rígida e dialética de ver o mundo e seus eventos. Por isso, o próprio Einstein, sem conhecer os tipos de pensamento, acertou ao dizer que para ele a imaginação era mais importante que o conhecimento.

O gênio da física foi um dos cérebros mais brilhantes da humanidade porque usou o pensamento adequado, mas não aplicou esse pensamento para decifrar o código da resiliência e do altruísmo na relação com seu filho portador de psicose. Por isso o abandonou.

Todos os grandes pensadores usaram, sem ter plena consciência, o pensamento mais amplo e profundo da mente humana. Claro que todo *Homo sapiens* usa os dois tipos de pensamentos conscientes, mas tende a usar muito mais o pensamento dialético.

Se colocassem um copo na nossa frente e nos pedissem para escrever um texto sobre ele, provavelmente não teríamos muito que dizer se usássemos o pensamento dialético. Falaríamos sobre o volume, a consistência, a transparência.

Jesus insistia em dizer que era o filho da humanidade: "Sou o filho do homem." Tal expressão assombrosa revela que ele não tinha raça, cor, nacionalidade, religião. Foi o primeiro homem sem fronteira, mas os homens querem aprisioná-lo em seus mundos e dogmas e fazer dele sua propriedade.
A. Cury, em O mestre da sensibilidade

Mas se viajássemos nas raias do pensamento multiangular poderíamos libertar o imaginário e escrever livros e mais livros sobre o copo. Poderíamos discorrer sobre a vibração dos átomos, a desorganização das moléculas, a posição tempo-espacial, a teoria do caos, as lágrimas e os sonhos do mineiro que lavrou o material, os sentimentos secretos de quem o construiu, a relação entre o artista e a obra, a natureza social do copo. Claro que o texto que escreveríamos seria dialético, mas estaria apoiado por inúmeras imagens históricas, existenciais, filosóficas, multiangulares.

> *Como pesquisador da complexa inteligência humana não me curvaria diante de nenhuma autoridade política nem de nenhuma celebridade, mas me curvaria diante de todos os professores e alunos do mundo. São eles que podem mudar o teatro social. São eles os atores insubstituíveis.*
> A. Cury, em *O vendedor de sonhos II – A missão*

Agora que vimos esses fascinantes tijolos, comentarei brevemente sobre os seis grandes tipos de raciocínio nos quais eles podem ser usados.

1. Raciocínio lógico-linear: É o raciocínio matemático, cartesiano, linear, capaz de deduzir fórmulas, checar dados, inferir consequências lógicas. É fundamentado no binômio estímulo-resposta. Através dele se produzem as maravilhas tecnológicas e também as reações instintivas "dente por dente", "olho por olho". Portanto, é de pouquíssima utilidade para resolver conflitos psíquicos e sociais, para prevenir discriminação, decifrar o código da gestão psíquica, do carisma e do altruísmo. Esse raciocínio é o que mais se aproxima da linguagem dos computadores.
2. Raciocínio histórico-social: É o que analisa a história humana, os fatos, as circunstâncias, as causas políticas, sociais, econômicas, físicas. Esse raciocínio, se bem elaborado, propicia terreno para o desenvolvimento dos nove códigos da inteligência comentados neste livro.
3. Raciocínio histórico-psíquico: É o que discorre sobre a história psíquica, o autoconhecimento, a autoconsciência, os traumas, os conflitos, as experiências dolorosas, as experiências prazerosas, os vínculos interpessoais.
4. Raciocínio psicogerencial: É o que analisa o teatro psíquico, posiciona o Eu como gestor da psique, fornece subsídios para se fazer a mesa-redonda do Eu, reedita o filme do inconsciente, filtra os estímulos estressantes.

5. Raciocínio existencial: É o que alimenta o pensamento filosófico, a arte da dúvida, a arte da crítica, a arte da contemplação, o deslumbramento frente o fenômeno da existência, sua finitude, seus limites, sentidos e projetos de vida.
6. Raciocínio esquemático: É o que organiza os demais raciocínios, sintetiza, sistematiza. É o raciocínio das grandes conclusões, que varre os meandros da história social, psíquica, social, gerencial, existencial, lógica.

Julgar comportamentos é um raciocínio lógico-linear; analisar as causas é histórico-psíquico. Excluir pela cor da pele, religião, casta social é um raciocínio lógico-linear; incluir, solidarizar-se, apoiar é um raciocínio histórico com abrangência psíquica, social e existencial. Ter ataque de ciúme e inveja é um raciocínio lógico-linear; compreender e dar liberdade são raciocínios multiangulares.

> Quem ama o poder não é digno dele. Certamente o usará para controlar as pessoas e se perpetuar nele.
> A. CURY, em *O vendedor de sonhos II – A missão*

Escolhemos o pensamento dialético e o raciocínio mais débil para educar as crianças e formar sua personalidade. Esse erro educacional, somado à SPA e à negligência em decifrar os códigos da inteligência, me levam a crer, infelizmente, que estamos formando uma massa de jovens aptos a conviver com computadores, mas não com pessoas. A educação precisa de uma revolução e não de consertos.

Os atos suicidas e o pensamento linear

O pensamento dialético deveria ser usado preponderantemente no primeiro tipo de raciocínio, o lógico-linear. Os demais raciocínios requerem o desenvolvimento do pensamento multiangular, caso contrário eles não se expandirão, como tem ocorrido na atualidade.

As discriminações, os conflitos raciais, a violência social, os ataques terroristas e os transtornos psíquicos se perpetuarão se insistirmos em usar o pensamento que usa poucas janelas da memória.

Não devemos esperar que a solidariedade, a tolerância, a capacidade de se colocar no lugar dos outros, o altruísmo e o carisma se expandam sem treinarmos o uso do pensamento multiangular ou imaginário, para desenvolver os mais nobres tipos de raciocínio.

Os atos suicidas têm muitas causas, mas o que impele uma pessoa a tentar tirar a própria vida não são as causas, mas a maneira como ela constrói o raciocínio. Se a construção for uniangular, a traição, a frustração, a doença física, as perdas, as causas que financiam a crise serão intransponíveis para ele.

---

*Ando no traçado do tempo à procura de mim mesmo.
Até hoje não sei quem sou, mas
sou um caminhante, e não um conformista.*
A. Cury, em O vendedor de sonhos

Se, ao contrário, a construção for multiangular, ele fará uma varredura na sua história, checará seus princípios, analisará a dimensão das causas, avaliará o significado das pessoas, pensará nas consequências do seu ato.

Não faz muito tempo perdi um amigo. Como ele morava a mais de 500 quilômetros de minha casa, eu não sabia que atravessava um deserto psíquico. Ele tinha três filhos com problemas. Sentia-se abandonado por eles. Não admitia que estivessem usando drogas. Sentia-se desonrado, mal-amado e fracassado como pai.

Era culto, mas não sabia falar de si mesmo. Não decifrou o código do filtro psíquico; suas frustrações causaram-lhe uma devastação emocional. Não decifrou o código do carisma, não sabia conquistar pessoas difíceis, não tinha flexibilidade para surpreender seus filhos. Não se reuniu com suas angústias, seu desespero e sua falta de sentido existencial para decifrar o código da resiliência. Era mais um escravo vivendo em sociedade livre.

Até que por fim não suportou a masmorra psíquica e tirou sua vida. Foi um ato lamentável. Entristeci-me muito por não ter podido ajudá-lo. Mais um ser humano que tinha sede e fome de viver asfixiou 3 trilhões de células do corpo para silenciar sua dor.

É triste observar que os índices de suicídio estão aumentando. Só na China, mais de 200 mil pessoas tiram suas vidas por ano. Quem se suicida tem um raciocínio lógico-linear, pelo menos no período de crise. Como disse em outros textos, os que desejam fechar seus olhos para a vida não têm a compreensão filosófica e multiangular do fim da existência. Na realidade, procuram linearmente aliviar sua dor. Têm uma enorme sede de viver e ser feliz, mas não sabem como saciá-la.

---

*As universidades, com as devidas exceções,
são templos doentios, que formam pessoas doentes
para viver em uma sociedade doente. Preparam jovens para
dizer amém para o sistema e não para repensá-lo.*
A. CURY, em *O vendedor de sonhos II – A missão*

Todo suicida que penetra nas raias do pensamento antidialético ou multiangular recua em seus atos. Para prevenir esse drama, é necessário não apenas atuar nas causas estressantes, mas principalmente ampliar as formas de raciocinar.

O homem Jesus surpreendeu no raciocínio multiangular

Os maiores erros que cometemos com quem mais amamos, as palavras que nunca deveríamos ter falado, as reações que nunca deveríamos ter expressado, as cobranças que nunca deveríamos ter feito e as pressões que nunca deveríamos ter exercido foram feitas porque usamos o pensamento restrito, unifocal, dialético.

Eu e minha filha mais velha, que está terminando a faculdade de psicologia, estávamos jantando um dia desses e comentei sobre as graves consequências de a educação não treinar os múltiplos tipos de raciocínio. Ela me perguntou: "Papai, você sabe desde quando me treinou a usar o pensamento multiangular?"

Pensei e respondi: "Desde quando você era criança. Perguntava para você, quando via uma pessoa na rua, um mendigo, um idoso ou uma pessoa qualquer: 'Quem é essa pessoa? O que ela está pensando? Quais são seus sonhos? Quais foram as suas lágrimas?'"

Minha filha completou: "Quando passeávamos de carro à noite pelas estradas, você via uma luz no breu e também indagava: 'Quem mora naquela casa? O que aquelas paredes já ouviram? Quais eram os maiores temores e as ousadias que seus habitantes já viveram?'"

Após me dizer isso, ela se entristeceu ao lembrar que alguns professores de psicologia discorrem sobre as doenças psíquicas sem exaltar o doente, sem valorizar sua complexidade e criatividade. Não mostram que cada ser humano tem um mundo fascinante para ser desvendado. Não desenvolveram o raciocínio existencial, histórico-psíquico, histórico-social.

O sistema educacional perdeu o foco. Ensina aos alunos de todo o mundo o pequeno átomo que nunca veremos e o imenso espaço que nunca pisaremos, mas não lhes ensina a conhecer o mais importante e mais próximo de todos os espaços: o psíquico.
A. Cury, em *Pais brilhantes, professores fascinantes*

Algumas pessoas desenvolveram esses raciocínios com intensidade no passado: Buda, Confúcio, Agostinho e tantos outros. Cristo foi notável nessa área. Enquanto era crucificado, teve a ousadia de dizer: *Pai, perdoa-os, porque eles não sabem o que fazem.* Esse pensamento choca a psicologia, a sociologia e a filosofia.

Eu, que fui um ferrenho ateu, fiquei assombrado ao analisar a dimensão histórico-social-existencial desse pensamento no ápice da dor física e emocional de Cristo. Era para ele ser dominado pelo pensamento dialético, ter um raciocínio linear, ser controlado pelo ódio ou pelo medo, mas surpreendentemente abriu inúmeras janelas da sua memória e desenvolveu o mais excelente raciocínio, expandiu sua intuição criativa na plenitude.

Provavelmente, ao abrir as janelas da sua mente, usou o pensamento multiangular para fazer uma varredura instantânea da sua infância, adolescência e vida adulta. Analisou a fragilidade humana, seus conflitos e contradições. Refletiu sobre a traição de Judas, a negação de Pedro e outras graves frustrações que seus amigos lhe causaram. Analisou as causas psíquicas e sociais que controlavam seus carrascos e, desse modo, conseguiu se colocar no lugar deles e entender por múltiplos ângulos o que estava por trás da cortina dos seus comportamentos agressivos. Fez o que raramente um ser humano faz quando está em águas emocionais tranquilas.

Seus torturadores agiram sem humanidade e afetividade. Mas o Mestre dos mestres compreendeu que eles não aprenderam a decifrar o código do altruísmo, da autocrítica, da capacidade de pensar antes de reagir. Desculpou homens indesculpáveis, protegeu-os e perdoou-os porque sabia que eram vítimas de uma educação social doente que não amplia o raciocínio nem estrutura o Eu como líder de si mesmo.

Quem corrige o insensato recebe afronta contra si.
Quem o deixa se perder em seu caos dá-lhe
oportunidade para se reconstruir.
A. Cury, em *O vendedor de sonhos II – A missão*

Nunca na história a gestão da psique ganhou patamares tão nobres. Nunca a generosidade e a tolerância ganharam status tão sublimes. Não defendo nenhuma religião. Mas mudei minha mente ao analisá-lo. Infelizmente as religiões e o sistema educacional falharam muito em não estudar os códigos da inteligência de Cristo. Muitas atrocidades teriam sido evitadas.

Os psicopatas clássicos

Hitler tinha brilhantes pensamentos dialéticos, inclusive no trato com sua cadela de estimação. Observe seus discursos e aparentemente verá um homem afetivo e sensível. Porém, o número de janelas que apoiava suas ideias era pequeno. Não lhe dava subsídios para se colocar no lugar do outro, para ficar assombrado com o fenômeno da existência, para pensar antes de reagir.

Mas a grande questão é: Hitler tinha na sua memória experiências suficientes para gerar um pensamento multiangular, para enxergar os judeus como membros da sua espécie, para ter compaixão, solidariedade? Talvez a resposta seja chocante, mas é positiva. Sim, tinha. Caso contrário, não seduziria uma nação inteligentíssima, como já comentei aqui.

O problema é que seu pensamento era uniangular. O Eu era um péssimo gestor da sua psique. Não abria múltiplas janelas da memória ao mesmo tempo, portanto não desenvolvia, um raciocínio histórico, existencial, esquemático, capaz de decifrar os códigos da inteligência. Embora tivesse um poderio militar sem precedentes, Hitler era débil, frágil, infantil, no mau sentido da palavra.

Um Eu frágil crê em verdades absolutas, tem um pensamento linear, elimina a arte da dúvida e, por isso, é incapaz de decifrar o código da autocrítica. Não podemos nos enganar, um homem com raciocínio dialético brilhante pode matar, estuprar, destruir, sem piedade.

Stálin, do mesmo modo, tinha mérito em seus raciocínios dialéticos. Defendia a nova ordem social – o socialismo – com paixão e fervor. Mas era paranoico. Tinha ideias de perseguição. Não tinha um raciocínio histórico-existencial, muito menos esquemático. Não era gestor da sua psique, não tinha autocrítica e desconhecia a arte da dúvida. Era mentalmente lógico-linear.

Nunca houve tantos escravos em sociedades democráticas. Escravos no único lugar em que deveríamos ser livres: no território de nossa mente.
A. Cury, em *O vendedor de sonhos*

Em sua biografia há reações que nos deixam perplexos. Stálin podia mandar matar à noite homens que inventava que eram seus inimigos e na manhã seguinte tomar café com as esposas deles como se nada tivesse acontecido. Homens como Hitler e Stálin nunca deveriam assumir o poder. Aliás, talvez apenas 1% dos líderes políticos, empresariais e espirituais estão preparados para assumir o poder com dignidade.

Ranking incorreto

Não se conhece os psicopatas pela voz, pela dimensão das palavras dialéticas, pelo discurso em ambientes não estressantes. Eles podem falar coisas mais belas do que uma pessoa que tem raciocínio multiangular; a diferença é que podem matar e ferir com grande facilidade e sem peso na consciência.

O sentimento de culpa depende do pensamento multiangular, depende de varreduras de extensas áreas da memória, de quão pouco usam esse pensamento, colocam-se no lugar do outro e se importam com as consequências dos seus comportamentos.

Entristeço-me quando vejo o ranking dos países que têm melhor educação. Que educação é essa? A que avalia o raciocínio lógico-linear: matemática, física, química e outras matérias. E os outros raciocínios? E os códigos da inteligência? Parece que os países do topo da lista estão livres de cometer atrocidades. Ledo engano.

Deles podem sair, do mesmo modo, líderes que esmagarão um mosquito com um canhão, que excluirão, discriminarão, anularão. Basta ter as condições sociais estressantes para que despertem os monstros alojados no inconsciente.

Por que é tão raro a sociedade produzir pensadores, engenheiros de ideias, construtores de novos conhecimentos? Por que é raro formar grandes líderes, humanistas, inventivos, versáteis? Erramos o alvo. Não aprendemos a usar o pensamento multivariável, multiangular, multifocal.

Todos temos uma genialidade a ser explorada

Em alguns países, meus livros têm sido também utilizados para que superdotados e gênios compreendam o funcionamento da mente a fim de utilizar melhor seu potencial. Se não fizer isso, ser um superdotado torna-se uma fonte de conflitos. Para mim, que pesquiso sobre o universo da inteligência, há dentro de cada ser humano uma genialidade não trabalhada, expandida, lapidada.

Essa genialidade só vem à tona quando deciframos os códigos da inteligência, principalmente o da intuição criativa. Os gênios clássicos, aqueles que têm pontuações altíssimas em determinados testes de Q.I., podem ter péssimo desempenho no teste existencial, intelectual, profissional, afetivo e social.

As crianças e os adolescentes aprendem a ler e a escrever, mas não a imaginar. Aprendem a calcular, mas não a observar. Aprendem a acumular dados, mas não a deduzir e expandir o raciocínio esquemático. Aprendem a repetir informações, mas não a construir. Garotos e garotas que não conseguem se submeter ao sistema clássico são alijadas.

Os jovens deveriam fazer exercícios de imaginação, criação, inventividade. Deveriam aprender a pensar menos com os símbolos linguísticos e mais com a imagem mental, deveriam aquietar a voz inaudível do pensamento e libertar a da perceptividade.

Algumas pessoas não têm memória fotográfica, não são especialistas em recordar fatos e dados, mas desenvolveram capacidades de superar suas dificuldades, de criar oportunidades em meio à turbulência social, de reagir com maturidade quando ofendidas, humilhadas, excluídas.

Alguns se punem por achar que têm péssima memória. Julgam-se incapazes, "burros", mentalmente deficientes. Ao terminar de ler uma página de um livro, sentem que não fixaram nenhuma informação. Após ouvir a fala de um professor, sentem que não registraram nada.

Essas pessoas não entendem que, excetuando casos onde há processos congênitos, genéticos, degenerativos ou mecânicos, não existe memória ruim ou fraca. O que existe são pessoas que "viajam" demais, pensam tanto que se concentram pouco. Distraem-se com uma facilidade incrível. Ao ler duas ou três frases de um jornal, saem do papel e pegam carona nas ideias. Não se fixam em nada. Não lembram o que leram, pois na realidade não leram, passaram os olhos. Têm excelente potencial intelectual, mas não conseguem mostrar seu potencial nas provas escolares; ao contrário, elas denunciam que são "desinteligentes".

As provas deveriam validar o raciocínio esquemático, a inventividade, a "rebeldia" intelectual. Já disse no livro *Pais brilhantes, professores fascinantes* e repito: é possível dar nota dez para quem errou todos os dados se usarmos os parâmetros de outros raciocínios.

Meus pacientes autistas, quando dão um salto na construção de pensamentos e na formação de vínculos sociais, costumam ter um raciocínio surpreendentemente melhor do que outras crianças. O motivo? Não foram contaminados pelo uso excessivo dos pensamentos dialéticos. Aprenderam a usar o pensamento imaginário.

As crianças são tolhidas em ambientes insuspeitos

Qual é o período em que as pessoas mais perguntam, questionam, indagam? Todos sabemos que é na infância. É nesse período que mais imaginam e mais surgem dúvidas. Perguntam tudo, sem medo da resposta, sem medo do ridículo. O mundo das perguntas dialéticas surge no mundo do imaginário dialético.

À medida que avançam nos anos escolares e têm mais acesso a informações e, portanto, deveriam se tornar mais questionadoras, se calam. Sabem tão pouco quanto sabiam na infância, têm milhões de dúvidas, mas bloquearam o pensamento multiangular.

Como o bloquearam? Através de inúmeras janelas produzidas pela educação clássica que contém a necessidade de dar respostas precisas, o medo de errar, de ser criticado, zombado. Libertar o imaginário é inventar e se reinventar, é uma rebelião saudável contra as fronteiras do pensamento fechado, contra os paradigmas. Mas rebelar-se positivamente se tornou uma atitude proibitiva.

O grande paradoxo na relação pais-filhos é que os pais também sufocam o pensamento imaginativo dos filhos. Quando os filhos são bebês, os pais são inventivos, multiangulares: brincam, correm atrás, fazem-lhe cócegas, imaginam mil maneiras de tirar-lhes um sorriso. Quando crescem, os pais deixam de ser inventivos, não se aventuram, não os estimulam a decifrar o código da intuição criativa. Tornam-se um manual de regras dialéticas.

Construindo oportunidades

Há mais diferenças entre "criar oportunidades" e "esperar que elas apareçam" do que pensa nosso tímido intelecto. Criar oportunidade é depender de si, esperar que apareçam é depender dos outros. É irrigar a terra, esperar que apareçam é aguardar as chuvas. É libertar a intuição criativa, esperar que apareçam é depender da sorte.

Você cria oportunidade para trabalhar ou espera que lhe ofereçam espaço? Você cria oportunidade para ter um desempenho profissional melhor ou espera que a economia, as condições sociais e o país melhorem? Muitos amam as árvores, mas não querem sujar suas mãos para semeá-las e cultivá-las.

> *Um bom profissional faz tudo o que lhe pedem,*
> *enquanto um excelente profissional surpreende,*
> *faz além do que os outros esperam.*
> A. Cury, em *O código da inteligência*

Sem decifrar o código da criatividade, a perda do emprego poderá ser desértica, mas se o decifrarmos, poderá ser um começo de uma bela nova jornada. Sem criatividade, uma reação de desprezo poderá debelar a autoestima; com ela, podemos consolidá-la.

Quem decifra o código da intuição criativa tem mais possibilidades de reunir seus pedaços e se reconstruir, tem mais possibilidades de se reencontrar quando não há caminho para transitar.

Quem o decifra sabe que não existem pessoas difíceis, mas que apenas precisam de chaves especiais para abrir seu psiquismo. Esperar que se abram e reconheçam sua rigidez poderá ser uma ilusão que nunca se materializará. É preciso libertar nossa criatividade para encontrar uma criança dentro de um general, um ser humano dentro de um deus.

Possíveis consequências de quem decifra o código da intuição criativa:

1. Abre as janelas da mente para construir um raciocínio histórico-social, histórico-psíquico, existencial, esquemático.
2. Torna-se versátil, perspicaz, flexível, inventivo. Liberta seu imaginário, liberta seu pensamento multiangular ou antidialético.
3. Liberta sua capacidade de inspiração e aspiração.
4. Aprende a dar respostas inteligentes em situações estressantes. Enxerga seus problemas e os problemas sociais por múltiplos ângulos.
5. Revela liderança, encanta as pessoas ao seu redor. Rompe o cárcere da mesmice. Faz da vida uma aventura.

Possíveis consequências de quem não o decifra:

1. Torna-se fechado, hermético, rígido, austero.
2. Dá as mesmas respostas para os mesmos problemas. Repete os mesmos erros com frequência.
3. Constrói um raciocínio uniangular, linear, lógico, exclusivista. Torna-se especialista em julgar e não em acolher.
4. Vê seus problemas como intransponíveis. É vítima do ciúme e da inveja. O sucesso dos outros o incomoda.
5. Torna-se insatisfeito. Vive entediado, preso nas tramas da mesmice.

Decifrando o código da intuição criativa: exercícios

1. Aprenda a pensar sob múltiplos ângulos, considere fatos históricos, sociais, psíquicos, existenciais, na organização esquemática do raciocínio.
2. Exercite diariamente a libertação do pensamento multiangular, antidialético ou imaginário. Lute contra toda forma unifocal, uniangular e fechada de pensar.
3. Use a arte da dúvida para questionar verdades absolutas e paradigmas rígidos. Abra o máximo de janelas da memória nos focos de tensão.
4. Supere a armadilha do conformismo e do medo de ousar. Tenha coragem para percorrer caminhos inexplorados.
5. Desengesse a mente humana. Enxergue o caos como oportunidade criativa. Não tenha medo de pensar diferente.

Capítulo 17

Oitavo código da inteligência:
código do Eu como gestor da emoção

O código do Eu como gestor da emoção é o código que nos posiciona como administrador dos sentimentos, gerenciador da insegurança, dos temores, dos medos, das angústias, da tristeza, do ciúme, da agonia, da aflição. É o código que dá um choque de lucidez nas emoções, recicla seu controle de qualidade, prepara o terreno para o cultivo da tranquilidade, do prazer, do júbilo, do deleite, do desfrute existencial.

Vamos recordar a estrutura e os papéis do Eu. O Eu representa nossa autoconsciência, a consciência sobre quem somos, o que somos, onde estamos e o que queremos. Representa nossa capacidade de escolher, decidir, traçar caminhos, estabelecer metas. O Eu, em tese, deveria ser o agente modificador de nossa história.

"Deveria ser" porque o Eu frequentemente não assume os papéis vitais, não desenvolve um raciocínio multiangular para ser autor da sua história. É quase inacreditável constatarmos que estamos na era da informática, da transmissão de dados via satélite, do genoma, da robótica, mas na idade da pedra na atuação do Eu como gestor psíquico.

Já pensou se o Eu tivesse plena liberdade de ser um gestor da emoção como o é ao pilotar um avião, dirigir um carro, controlar um orçamento empresarial? Baniríamos o tédio, teríamos acessos aos mais borbulhantes prazeres, a tranquilidade seria nossa praia, a satisfação seria nosso espaço mais secreto.

> *Um bom profissional obedece a ordens, enquanto um excelente profissional pensa pela empresa.*
> A. Cury, em O código da inteligência

O individualismo se multiplicaria, pois não precisaríamos amar, trocar, relacionar, conviver, enfim, não necessitaríamos das relações interpessoais como fonte de prazer. A poderosíssima indústria de antidepressivos e tranquilizantes desapareceria, a do lazer minguaria, a da moda faliria. Não precisaríamos visitar museus nem tomar um bom vinho. Bastaria que o Eu decidisse se embriagar para que a emoção se submetesse a ele.

Nunca seremos gestores plenos da emoção; as consequências seriam gritantes em algumas áreas. Mas se deixarmos solto esse processo de gestão, as consequências seriam igualmente sérias.

Péssimos gestores

Seria um absurdo um motorista tirar as mãos do volante e deixar o carro seguir a seu bel-prazer. Colisões aconteceriam, ferimentos imprevisíveis seriam gerados. Mas esse absurdo ocorre em nossa psique. As pessoas deixam suas emoções soltas, sem direcionamento, sem um mínimo de gerenciamento.

Elas se deixam manipular pelo humor triste, fóbico, depressivo, pessimista como se fossem marionetes, como se não tivessem nenhum poder gerencial. Não têm consciência de que essas emoções são registradas em segundos nos bastidores da sua mente e que, uma vez arquivadas, não podem ser mais deletadas.

Como vimos, no código do Eu como gestor do intelecto, no máximo usamos técnicas com baixo nível de eficiência, que operam uma gestão rudimentar da psique: 1) Tentar parar de sentir. 2) Tentar esquecer. 3) Tentar se distrair. 4) Tentar mudar a emoção. Como comentei, não se troca ou transforma a emoção ao bel-prazer. É preciso um choque de gestão.

> *Jamais um ser humano será um grande líder no teatro social se primeiramente não for um grande líder no teatro psíquico. Os ditadores não obedeceram a essa lei. Foram frágeis com o poder nas mãos.*
> A. Cury, em *O vendedor de sonhos II – A missão*

É importante entender as causas que geram as emoções, assim como exercer a administração psicodinâmica delas. É importante estudar a gênese dos traumas, o alicerce histórico dos conflitos, assim como treinar o Eu para atuar como diretor do roteiro emocional. Emoções que poderiam ser administradas com a atuação simples do Eu às vezes demoram meses para serem resolvidas.

Para decifrar o código do Eu como gestor da emoção é necessário usar sistematicamente as seguintes ferramentas:

1. Fazer a mesa-redonda do Eu contra todas as emoções que nos controlam, anulam, confundem.
2. Proteger a emoção evitando exigir o que os outros não podem dar.
3. Proteger a emoção se doando sem esperar o retorno.
4. Proteger a emoção entendendo que por trás de uma pessoa que fere há uma pessoa ferida.
5. Ser livre da ditadura da resposta. Não gravitar na órbita do que os outros pensam e falam de você. Ter órbita própria.
6. Desenvolver a consciência de que o território emocional é um espaço particular e inviolável, e não terra de ninguém. Não se deixar ser invadido sem permissão do Eu.
7. Ser autodeterminado, ter metas claras, ter consciência da sua identidade e capacidade, mesmo que o "mundo desabe sobre você" e os projetos deem errado.

8. Ser seletivo, dar prioridade às coisas relevantes, não se prender a picuinhas nem barganhar a tranquilidade por coisas irrelevantes.
9. Desacelerar os pensamentos, administrar a SPA (síndrome do pensamento acelerado), a maior fonte de insatisfação e ansiedade na atualidade.
10. Redesenhar o estilo de vida, fazer pausas, caminhar passo a passo. Aprender a fazer uma coisa de cada vez. Valorizar e desfrutar da trajetória tanto quanto da meta ou do ponto de chegada.

Um choque de gestão através da mesa-redonda do Eu

O homem pode transcender, o que significa dizer que está capacitado a atribuir um sentido ao ser, tomando o destino em suas próprias mãos, como pensava Heidegger (Heidegger, 1991). Não podemos cair naquilo que ele denominaria "ruína" ou desvio de cada pessoa de seu projeto de vida em favor das preocupações cotidianas, que distraem e perturbam, confundindo com a massa.

A vida é cíclica. Há tempos de aplausos e tempos de vaias, tempos de acertos e tempos de falhas, tempos de júbilo e tempos de lágrimas, tempos de sucesso e tempos de fracasso. Quem quer viver apenas em céu de brigadeiro está despreparado para vivê-la.
A. Cury, em *O código da inteligência*

Nesse caso, o Eu individual sacrifica-se, reduz sua vida à vida do outro; deixa-se levar pelas opiniões alheias; aliena-se totalmente da sua principal tarefa, que é tornar-se ele mesmo.

Sem um choque de gestão psíquica para nos tornarmos nós mesmos, não resgataremos nossa identidade essencial. Seremos não o que somos, mas o que os outros querem que sejamos.

É preciso ter consciência de que o território emocional é valiosíssimo; não pode ser violado pelo lixo social. Temos consciência de que ninguém pode pegar nosso carro e dirigir sem nos pedir licença. Ninguém pode adentrar nossa casa se não receber nosso convite. Mas nossa emoção frequentemente tem sido terra de ninguém. Qualquer um a invade, qualquer rejeição furta nosso prazer, qualquer perda dilapida o patrimônio da nossa tranquilidade. Não somos treinados a proteger esse delicadíssimo espaço.

É preciso conviver com as pessoas, ser altruísta, mas sem esperar excessivamente o retorno delas. Além disso, para dar esse choque gerencial, também precisamos fazer a técnica da mesa-redonda do Eu, como preconizei no primeiro código da inteligência.

Reitero que a mesa-redonda do Eu não é uma técnica positivista, nem uma técnica superficial de quem nega que o circo psíquico esteja pegando fogo e dissimula esse caos dizendo que está tudo bem. Essas atitudes são infantilidades intelectuais e não um choque de gestão.

---

*As mulheres são admiravelmente complexas.
O dia em que você achar que conheceu uma alma
feminina desconfie do seu sexo.*
A. Cury, em O futuro da humanidade

A mesa-redonda do Eu é uma técnica psicodinâmica, existencial e filosófica de extraordinária inteligência. É praticada, como vimos, pelo exercício pleno de duas artes ou códigos da inteligência: a arte da dúvida e a arte da crítica.

Uma criança deveria ser ensinada desde os primeiros anos não apenas a criticar seus pensamentos negativos, mas também seus medos e seus fundamentos. Uma criança deveria aprender não apenas a duvidar das crenças asfixiantes, mas também a protestar e arguir contra seus fantasmas, fantasias, ciúmes, timidez, reações impulsivas.

O choque de gestão emocional passa pelo Eu rompendo a armadilha do conformismo, do coitadismo e do medo de ousar e de questionar cada emoção débil: "Como surgiu? Quando surgiu? Por que surgiu? Até onde estou sendo afetado por ela e contagiando outros? Por que sou servo dela? Por que não sou livre? E como faço para ser livre?" É surpreendente o poder implosivo da arte da dúvida e da crítica. Mas raramente essas técnicas são utilizadas por jovens e adultos.

Bons profissionais usam o poder do medo e da pressão, enquanto excelentes profissionais usam o poder do elogio.
A. Cury, em O código da inteligência

Para Matthew Lipman, pensar é o processo de descobrir e fazer associações e disjunções. Fazer disjunções ao ponto de impugnar todas as emoções que não nos libertam, mas que nos controlam e amordaçam. Somos ingênuos quando deveríamos ser dotados de expertise. Compramos por um alto preço as reações absurdas dos outros (Lipman, 1995).

Tudo rápido

Recentemente, conversei com uma jovem muito ansiosa, que queria tudo de imediato. Mostrei a ela que as coisas mais importantes da vida não acontecem rapidamente, como o nascimento, a conquista de um grande amor, a construção das melhores amizades, a respeitabilidade profissional, o prestígio social.

Ela não tinha conflitos importantes que justificassem sua ansiedade, era fruto da SPA, do seu estilo doentio de vida. Expliquei que sua ansiedade poderia truncar suas mais importantes conquistas. Mostrei que seu Eu deveria aprender a gerir sua emoção para que sobrevivesse e brilhasse socialmente.

Ela queria saber como isso seria possível, já que havia tentado e falhado várias vezes. Então eu lhe ensinei a bombardear de perguntas, críticas e questionamentos sua ansiedade e seu desejo compulsivo por querer tudo rápido. Senti que ela entendeu minha mensagem. Entendeu que aquilo que parecia impossível poderia ser alcançado aos poucos.

Sim, e realmente pode. Basta construir ao longo dos meses uma nova plataforma de janelas light na grande cidade do inconsciente. Não é fácil gerir nossa emoção, mas não estamos de mãos atadas, como pensam determinados profissionais de psicologia e educação.

Se um adolescente for traído por uma namorada e não administrar seu sentimento de traição e insegurança, poderá construir um medo da perda destruidor, gerando um ciúme fatal que poderá sufocar a próxima namorada e torná-lo carrasco da pessoa que ama.

Não é defensável que a dor amadurece o ser humano. As perdas e frustrações o pioram, esmagam sua autoestima e dissipam seu encanto pela vida. A dor só nos enriquece se não tivermos medo de entrar em contato com nossas fragilidades e insensatez, se a usarmos para esculpir nossas mazelas.
A. Cury, em O código da inteligência

Seguro emocional

No século XV, as crianças saíam de suas casas aos 7 anos e iam morar com um mestre onde aprendiam a arte de esculpir ferro, produzir vinho, domar cavalos. Os jovens retornavam por volta dos 14 anos, o que contraía a afetividade nas relações entre pais e filhos. A partir daí, algumas castas de jovens das grandes cidades começaram a frequentar escolas e retornar diariamente a suas casas. Houve uma revolução emocional.

As consequências foram tão grandes que afetaram até a arquitetura das residências. Deixaram de ser "caixotes" sem divisão e passaram a ter quartos para preservar a intimidade do casal e dos filhos. Corredores laterais nas casas, elemento raro na época, surgiram para evitar a invasão dos estranhos na intimidade familiar. Grades, portas, janelas reforçadas foram acrescentadas para dar mais proteção a esse espaço tão importante.

Porém, o espaço emocional fundamental para a existência humana não tem essa mesma proteção. Não fomos ensinados a entender que emoção é um território que deve ser preservado com especial cuidado.

Uma bomba com vários estágios

Se estudarmos o processo de construção de pensamentos e emoções, descobriremos que alguns fenômenos psíquicos são processados quase na "velocidade da luz" e ocorrem antes de termos consciência do estímulo estressante e de que estamos sendo invadidos por ele.

Imagine que uma pessoa nos caluniou. Essa calúnia é como se fosse uma bomba com vários estágios. A calúnia é formada por códigos linguísticos. Sons não são suficientes para nos ferir. Mas esses códigos sonoros são transformados em códigos neuroquímicos que percorrem o sistema auditivo, vão até o córtex cerebral e detonam um fenômeno inconsciente chamado Gatilho da Memória ou fenômeno da Autochecagem.

O Gatilho abre rapidamente as janelas da memória que decifram o código linguístico do agressor, fazendo associações com nossas experiências passadas. Nesse período, detonou-se a primeira etapa da interpretação. O primeiro estágio da bomba explodiu. Ficamos angustiados, aborrecidos, enraivecidos.

Quanto tempo se passou? Milésimos de segundos. Onde está o Eu? Ele não tem consciência do que está acontecendo, mas já começou a vivenciar as emoções do primeiro estágio. Nenhum ser humano consegue evitar esse processo inicial, por mais que tenha desenvolvido o pensamento multiangular e decifrado os códigos da inteligência.

Somente no próximo momento, quando já foi iniciada a invasão da emoção, o Eu toma ciência do estímulo da calúnia. Passaram-se segundos apenas.

Se o Eu for imaturo, uniangular, usar excessivamente o pensamento dialético, continuará se deixando invadir, embarcará no sentimento de raiva, fúria ou medo iniciado, detonando o segundo estágio da bomba, muito mais grave que o primeiro. A maioria dos seres humanos detona o segundo estágio – inclusive os budistas, que são exemplos de paciência.

A existência é assombrosamente breve. Quem não reflete sobre essa brevidade torna-se um deus, comporta-se como imortal, não sabe que um dia silenciará sua voz na solidão de um túmulo.
A. Cury, em *O vendedor de sonhos II – A missão*

Se, ao contrário, o Eu for maduro, se souber dar um choque de gestão na psique e usar o pensamento multiangular, então abrirá o máximo de janelas da memória, não viverá debaixo da ditadura da resposta, fará a oração dos sábios (o silêncio), entenderá que por trás de uma pessoa que fere há uma pessoa ferida. Desse modo, protegerá o delicadíssimo território da emoção. Assim, desarmará o segundo e mais devastador estágio dessa bomba.

Por que o segundo estágio é mais devastador? Porque retroalimenta a cadeia de sentimentos agressivos ou fóbicos, bem como a cadeia de pensamentos destrutivos ou autodestrutivos.

E todas as cadeias produzidas nos segundos, minutos, horas e dias posteriores à calúnia serão registradas pelo fenômeno RAM, construindo inúmeras janelas killer ou zonas de conflitos em bairros nobres da grande cidade da memória.

Portanto, a grande questão não é o trauma original na construção dos transtornos psíquicos, como imaginavam Freud ou Jung, mas o reforço do trauma nos estágios posteriores; enfim, seus desdobramentos no teatro psíquico diante de um Eu passivo.

Aprendemos a detectar ruídos mínimos no motor do carro, odores ruins na geladeira, vibração dos celulares, mas não aprendemos a perceber as alarmantes explosões que ocorrem em nosso sensível território psíquico. Não aprendemos a conhecer o funcionamento da mente nem a desarmar a bomba emocional.

O terror que vem de dentro

Algumas pessoas retroalimentam em sua mente as ofensas, as perdas, as rejeições, os desapontamentos e as preocupações durante meses e anos. Contaminam espaços importantíssimos de seu inconsciente. Não entendem que precisam desarmar o Gatilho da Memória. Não entendem que a maior vingança contra um inimigo não é odiá-lo, e sim perdoá-lo. Para perdoá-lo é preciso despir-se de heroísmos, compreendê-lo, deixar de gravitar em sua órbita insana. Quem odeia seu inimigo é inimigo de si mesmo.

Mas alguém poderia dizer: "Esse processo de desarme é muito complicado!" Sim! Por isso ocorrem diariamente tantos assassinatos, suicídios, estupros e casos de violência doméstica. Nossa mente é muito complexa e exige uma educação também complexa, muito mais do que a educação simplista de transmitir milhões de informações para abarrotar a memória de dados. Uma mente multifocal precisa de uma educação multifocal, que leva em consideração os códigos da inteligência.

Devemos entender que os estágios da bomba psíquica e da invasão emocional iniciam-se no espaço inconsciente e devem ser combatidos no palco consciente.

Quando assistimos a um filme de terror, sabemos que por trás de cada cena existe um iluminador, um câmera, atores e um diretor. Não há monstros de verdade, não há terror; muitas risadas são produzidas durante as filmagens. O diretor chama a atenção do ator diversas vezes para que o pânico fique mais convincente em seus movimentos.

Sabemos disso. Mas quando o monstro ameaça aparecer na tela, quando a porta começa a ranger, a bomba emocional rapidamente inicia seu processo de explosão. Detona o primeiro estágio. Começamos a ter reações de medo, tensão, insegurança, mesmo sem querer. Por que reagimos assim se sabemos que é tudo mentira? Porque o terror vem de dentro. Foi produzido pelo Gatilho, que abriu algumas janelas da memória em milésimos de segundos.

Depois, cabe ao Eu dar um choque de gestão, não deixando os outros estágios da bomba serem detonados. Aqui entra a mesa-redonda do Eu e as demais ferramentas que descrevi. Sem fazer isso, o Eu terá noção de que o filme é uma ficção, mas a emoção não gerenciada o vivenciará como se fosse real. Eis o grande paradoxo do intelecto humano! Descompasso entre a razão e a emoção, entre o Eu frágil e a emoção dominadora.

Na próxima vez em que assistir a um filme em um ambiente escuro com cenas horripilantes, perceba o primeiro estágio da bomba e tente dar um choque de gestão no segundo estágio. Provavelmente descobrirá que não é simples, que o Eu não tem tanto cacife para ser líder da psique. É por isso que sofremos por coisas tolas, vendemos por bobagens nossa tranquilidade.

O maior sucesso não é o poder social

Há muitas ferramentas fundamentais que o Eu pode trabalhar para ser um bom gestor da psique. Aprender a se doar sem esperar retorno, como já discuti em outros textos, é fundamental. Quem espera muito de filhos, amigos e colegas de trabalho pode se decepcionar. É melhor decifrar o código do altruísmo, se doar sem grandes expectativas. Se as decepções vierem, estaremos preparados. Se surpresas agradáveis surgirem, nos deleitaremos nelas.

Outra ferramenta é entender que ninguém nos faz infeliz, nos machuca, nos trai, se primeiramente não for infeliz, não estiver machucado, não for traído.

Jamais exija o que os outros não têm para dar. Exigir de um filho ou aluno que reconheça seus erros e sejam sóbrios no exato momento em que erram é uma afronta. Exigir que nosso cônjuge, parceiro(a) ou namorado(a) seja coerente durante uma crise de ansiedade é um desrespeito. Cobrar dos funcionários lucidez e reflexão no exato momento em que tropeçam ou falham é uma injustiça. Nesses momentos, as pessoas estão presas pelas janelas killer, bloquearam milhares de outras janelas, não têm, portanto, condições de analisar, refletir, enfim, de pensar por múltiplos ângulos.

No primeiro momento, espere que a temperatura emocional de quem falhou abaixe, dê um tempo para ele respirar, refletir. Espere uma hora, um dia, uma semana, o que for necessário. No segundo momento, seja gentil e o elogie. Encontre pontos nos quais ele possa ser valorizado, ainda que você tenha dificuldades de encontrá-los. Enfim, conquiste sua emoção. Somente no terceiro momento aponte os erros, disseque as falhas.

Desse modo, os ânimos serão domesticados; as tensões, aplainadas; a educação, realizada. Não seremos invasores, mas contribuintes do crescimento dos outros. Quem primeiro quiser conquistar o território da razão para depois o da emoção, como sempre fizemos desde os primórdios da civilização humana, causará acidentes imprevisíveis.

Afinando a orquestra emocional

Steiner comentou que uma pessoa emocionalmente educada consegue lidar melhor com situações complicadas que poderiam resultar em conflitos, fúria, mentiras, agressões e mágoas.

Muitas vezes nossas interações sociais se caracterizam pelo cinismo e frequentemente tornam-se conflituosas e desgastantes. Em parte, isso ocorre porque todos estão buscando aquilo que se definiu como sendo o sucesso. A ideia de sucesso na sociedade ocidental está muito relacionada à ideia de poder, especialmente à capacidade de ganhos materiais, o que gera um grau de competitividade desenfreada e desleal (Steiner, 1997).

Apoiando e ampliando o conceito de Steiner, podemos dizer que um ser humano que não aprende a educar sua emoção poderá ser vítima e ao mesmo tempo agente de situações emocionais conflituosas e desgastantes. Nesse caso, errará seu mais importante alvo – cuidar, irrigar e proteger sua emoção. Viverá na busca frenética pelo sucesso material, profissional e tudo que realça o poder social. Claro que esses sucessos são importantes, mas sem o sucesso emocional seremos infelizes.

Essa paranoia gera um alto grau de competitividade, que contrai o processo de interiorização, dificultando a compreensão da necessidade vital de decifrar os códigos da inteligência, transitar com suavidade e encanto nessa sociedade.

O homem atual precisa descobrir a grandeza, a fineza e a relevância de ser um gestor da sua psique. Aí mora seu grande sucesso. Lembro meu amigo e músico João Carlos Martins, o pianista que mais brilhantemente interpretou Bach. João Carlos sofreu alguns graves acidentes e teve suas mãos mutiladas. O que fazer? Desistir da música? Muitos se deprimiriam e desistiriam. Mas ele não deixou de tocar piano, ainda que com alguns dedos. Depois se tornou um regente de impressionante sensibilidade.

O melhor de tudo é que ele tirou a música dos grandes teatros e transportou-a para as favelas, para resgatar jovens delinquentes. Tornou-se um vendedor de sonhos. Seu segredo? Decifrou o código da resiliência, do carisma e do Eu como gestor da emoção. Afinou a orquestra psíquica para fazer da existência um espetáculo deslumbrante mesmo quando somos mutilados...

Possíveis consequências de quem decifra o
código do Eu como gestor da emoção:

1. Torna-se seguro de si, autoconfiante, determinado.
2. Desenvolve autoestima sólida e estabilidade emocional. Constrói um romance com a existência.
3. Desenvolve altruísmo e carisma. Torna-se uma pessoa envolvente, agradável, influenciadora.
4. Tem mente livre, emoção livre. Tem facilidade de libertar seu imaginário e ser criativo, produtivo, construtor de novas ideias.
5. Deixa de ser escravo do medo, da angústia, do tédio, das calúnias, das difamações, do que os outros falam dele. Vive a vida com mais aventura e deleite.

Possíveis consequências de quem não o decifra:

1. Torna-se inseguro, emocionalmente frágil, desprotegido.
2. Vive estressado, ansioso, irritado, reativo, impulsivo.
3. Desenvolve uma emoção inábil, flutuante, instável, sem governabilidade.
4. Torna-se especialista em reclamar. Tem muitos atritos nas relações sociais. Não envolve os outros nem causa admiração social.
5. Tem visão pessimista e mórbida das relações sociais. Tem dificuldade de contemplar o belo, curtir a vida e se encantar com as pessoas.

Decifrando o código do Eu como gestor da emoção: exercícios

1. Faça a mesa-redonda do Eu contra todas as emoções que o controlam, anulam, fomentam conflitos.
2. Proteja a emoção com as seguintes ferramentas: a) Não exija o que os outros não podem dar. b) Doe-se sem esperar demasiadamente

o retorno. c) Entenda que por trás de uma pessoa que fere há uma pessoa ferida.
3. Seja livre da ditadura da resposta. Não gravite na órbita do que os outros pensam e falam de você. Tenha órbita própria.
4. Desenvolva a consciência de que o território emocional é um espaço particular e inviolável, e não terra de ninguém. Não se deixe ser invadido sem a permissão do Eu.
5. Redesenhe o estilo de vida para amenizar a SPA. Faça pausas, caminhe passo a passo, lide com uma coisa de cada vez.

Capítulo 18

Nono código da inteligência:
código do prazer de viver

Ricos miseráveis

Não foram poucos homens e mulheres com notáveis êxitos sociais, financeiros e intelectuais naufragaram no oceano da emoção. Não desenvolveram adequadamente o código da inteligência que fundamenta o prelúdio da vida, a primavera da vivência, o encanto pela existência. Viveram como miseráveis diante de uma mesa farta, como errantes em terra estranha, como prisioneiros em sociedade livres.

Intelectuais, portadores de títulos acadêmicos invejáveis, cultura ilibada e eloquência ímpar tornaram-se irritadiços, tensos, depressivos. Empresários, *experts* em ganhar dinheiro, hábeis em fazer negócios, tornaram-se paupérrimos no único lugar em que não é suportável viver como mendigos: no banco da emoção. Celebridades, ícones das sociedades modernas, tornaram-se cronicamente insatisfeitas, perderam suas raízes, viveram sem brilho emocional sob a luz artificial das câmeras fotográficas.

Quem não desenvolve o código do prazer divorcia-se da paz e torna-se amante da ansiedade; rompe o contrato com o júbilo e faz um pacto secreto com a angústia. Vicia-se em grandes eventos, aplausos solenes e reconhecimentos exuberantes para experimentar migalhas de prazer. Torna-se tímido em contemplar o belo.

O que é o código do prazer?

O código do prazer é o ápice da experiência existencial das crianças e dos adultos; é o oxigênio da emoção dos pensadores e iletrados, dos abastados e dos desprivilegiados.

É o fundamento do sentido de vida. Sem o código do prazer, o trabalho perde o significado, as relações sociais perdem o encanto, os projetos de vida tornam-se uma fonte de tédio.

É o motor da motivação. Sem o código do prazer, o ânimo se esfacela, a garra perde a força, a coragem dilui-se nos solos das crises.

É o alicerce do bom humor. Sem o código do prazer, a agitação domina a emoção, a irritação controla as reações, a impulsividade asfixia a flexibilidade.

É o pilar central para a construção dos sonhos. Sem o código do prazer, o medo nos põe em um cárcere, os riscos nos paralisam, a insegurança destrói nossa criatividade.

É a mola propulsora do amor. Sem o código do prazer, nosso amor é condicional, as pequenas frustrações nos fazem recuar, nossa entrega será sempre parcial.

É a fonte de relaxamento. Sem o código do prazer, a rigidez nos envolve, a autopunição nos domina, a crítica excessiva substitui a generosidade.

Quem desenvolve esse código enriquece sem ter dinheiro; quem não o desenvolve empobrece, mesmo sendo rico. Quem o desenvolve se embriaga de alegria sem ter grandes motivos; quem não o desenvolve faz grandes exigências para vivenciá-la. Quem o desenvolve sente-se único no meio da massa, conquista status sem estar sob os holofotes da mídia; quem não o desenvolve, ainda que esteja em evidência, tende a se sentir só no meio da multidão.

Os que sulcam o território da emoção e cultivam o código do prazer de viver deslumbram-se como um eterno aprendiz diante dos mistérios que o cercam, abrem o leque da sua inteligência para serem construtores de oportunidades e tornam-se caminhantes nos insondáveis terrenos de sua mente.

O grande paradoxo

Esperávamos que em pleno século XXI tivéssemos a geração de pessoas mais felizes da História. Afinal de contas, nunca tivemos a indústria do lazer e do entretenimento tão forte, diversificada e acessível. Os judeus tinham suas festas anuais, os gregos tinham as olimpíadas e teatros, os romanos tinham o Coliseu, mas nas sociedades modernas temos a TV, o cinema, o esporte, a música, os videogames, os shoppings centers, os jornais, as revistas, os restaurantes.

Diariamente, todas as pessoas dispõem de um cardápio riquíssimo de estímulos para excitar o território da emoção; um cardápio pelo menos cem vezes mais abundante do que em qualquer outra época. Mas onde se encontram as crianças felizes, inventivas, que brincam continuamente e que fazem de sua existência uma grande aventura? Não são elas insatisfeitas, querendo sempre um novo brinquedo porque o anterior já perdeu a graça? Onde estão os adolescentes exultantes e sonhadores? Não estão eles insatisfeitos com seu corpo, com seus amigos, com sua escola? Não vivem eles ansiosamente atrás de uma nova roupa ou um novo celular? Em que espaço social se encontram os adultos que transpiram o encanto pela vida e sorriem sem disfarces?

O século XXI, que deveria ser o do prazer, foi tomado pelo estresse, pela ansiedade, pelos transtornos psíquicos. Eis o século da geração mais triste e depressiva. A contração do código do prazer de viver não o perturba? A humanidade tomou o caminho errado. Investiu no planeta físico até o ponto da exaustão dos recursos, mas investiu pouco no planeta psíquico. Conhecemos cidades distantes, países longínquos, mas raramente saímos dos quintais de nossa mente. Vivemos na superfície.

Segundo revelam algumas pesquisas, 50% da população mundial cedo ou tarde desenvolverá uma doença psíquica. É um número preocupante. E se considerarmos a síndrome do pensamento acelerado, essa estatística vai às alturas. É raro encontrar alguém que não tenha pelo menos alguns destes sintomas: irritabilidade, impaciência, mente agitada, sofrimento por antecipação, esquecimento, déficit de concentração, dores de cabeça, dores musculares, taquicardia e uma série de outros sintomas psicossomáticos.

De acordo com a Organização Mundial da Saúde (OMS), 20% das pessoas experimentarão, nos próximos anos, o último estágio da dor humana: a depressão. No passado, era raro vermos crianças com quadros depressivos; agora é comum observamos os pequenos de nossa espécie manifestando irritação exacerbada, alienação, isolamento social, insatisfação crônica. Deveriam estar brincando, correndo atrás das borboletas, viajando em sua imaginação, mas bebem da fonte da ansiedade.

Querendo oferecer-lhes muito, criamos um mundo artificial e colorido e entulhamos as crianças de atividades (esportes, línguas, curso de computação, TV, jogos de videogame, internet). Aceleramos o pensamento delas, produzimos coletivamente a SPA e bloqueamos, consequentemente, o código do prazer de viver. Dependentes de novos estímulos, tal como do ar que respiram, elas precisam de muitas atividades para sentir parcos prazeres. Por favor, retire os sapatos das crianças, levem-nas para andar pelas praias e pelo chão de terra, estimulem-nas a ter contato com a natureza, permita que descubram as plantas e os animais, libertem sua criatividade, deixem-nas respirar prazeres mais simples e penetrantes.

Não basta praticar um esporte, ouvir música, fazer compras, se colocar diante de uma TV a cabo ou jogar videogame para desenvolver o código do prazer. Aliás, o abuso deste cardápio é castrador da emoção. É necessário um treinamento onde o Eu diariamente deixa de ser vítima de sua insensibilidade, de suas mazelas e limitações, tornando-se protagonista de sua História, um promotor da arte de contemplar o belo.

É necessário ainda o desenvolvimento de outros códigos da inteligência para financiar o código do prazer de viver. É fundamental treinar o Eu como gestor dos pensamentos, como protetor da emoção, como um ator resiliente diante das perdas e frustrações.

O cardápio da matriz curricular

Preocupado com a formação das crianças, adolescentes e universitários, elaborei ao longo de mais de dez anos o Programa Escola da Inteligência (*www.escoladainteligencia.com.br*) para introduzir na grade curricular dos mais diversos níveis escolares uma aula semanal sobre os códigos da inteligência.

O objetivo é contribuir para formar seres humanos altruístas, criativos, resilientes, construtores de relações saudáveis, que saibam pensar antes de reagir, expor e não impor suas ideias, colocar-se no lugar dos outros. O objetivo é formar pensadores humanistas, e não repetidores de informações despreparados para enfrentar seus desafios e suas perdas e encarar a competição do sistema social estressante.

Em tese, não haveria a necessidade de um programa como o da Escola da Inteligência, pois o treinamento desses códigos deveria fazer parte do cardápio educacional oferecido aos alunos em todas as escolas clássicas. Infelizmente, porém, do Oriente ao Ocidente, dos países ricos aos miseráveis, tal treinamento está ausente do menu curricular. As crianças aprendem matemática numérica, mas não a matemática da emoção; aprendem a falar sobre átomos que nunca viram, mas não de si mesmas; aprendem a resolver problemas da física, mas não a lidar com suas crises e seus conflitos.

Veja o caso do código do prazer de viver. Ele se desenvolve aleatoriamente, sem ser lapidado, refinado, orientado. Temos a ingênua crença de que basta ter uma mente e uma emoção que o prazer facilmente se desenvolverá no processo de formação da personalidade. É como acreditar que basta atirar ingredientes em uma vasilha e colocá-los sobre o fogo para que surja uma bela refeição. É um erro grosseiro.

Mas nas sociedades modernas fazemos isso mais ou menos com o código do prazer e com os demais códigos. Entulhamos o córtex cerebral dos alunos com milhões de informações, acreditando que surgirá espontaneamente a solidariedade, a generosidade, a criatividade, a flexibilidade, a consciência crítica. Tomamos o caminho errado.

Ninguém consegue habilitação para dirigir um carro sem antes passar por um sério treinamento para conhecer os códigos do trânsito, primeiros socorros, direção defensiva. Mas não temos esse cuidado com o veículo da emoção, que é mais complexo do que um veículo de aço e plástico. Como ter uma emoção estável, relaxada, contemplativa, se não sabemos dirigi-la?

Claro, muitos desenvolvem uma emoção rica e tranquila sem se submeter às raias de um treinamento educacional diretivo. Eles a desenvolvem intuitivamente ao longo da vida. Mas se ensinarmos alguém desde a mais tenra infância a arte da observação, a contemplar o belo, a refinar seu olhar para deslumbrar-se diante dos fenômenos anônimos, a operar ferramentas para proteger sua emoção e habilidades para pensar antes de reagir, ele terá mais condições de desenvolver o código do prazer, do altruísmo, da tolerância, da capacidade de pensar antes de reagir. No entanto, embora pensantes, somos uma espécie que desonra a arte de pensar. Valorizamos o colateral e desprezamos o essencial.

Como desenvolver o código do prazer de viver?

Não há mágica nem técnicas imediatistas para desenvolvê-lo. As crianças, os adultos e os idosos devem aprimorar diariamente seu paladar psíquico. Uma pessoa alegre, motivada e bem-humorada, se não cultivar o código do prazer, poderá se tornar depressiva, ansiosa, pessimista diante dos percalços e acidentes da vida. Se ela se submeter a um estresse intenso e contínuo e a um regime de atividades e preocupações marcantes, o fenômeno do RAM poderá plantar em seu córtex cerebral uma plataforma de janelas que furtarão a tranquilidade e o bom humor.

Em contrapartida, uma pessoa triste, insegura e rígida pode treinar seu Eu ao longo de meses e anos para curtir a vida, soltar-se, relaxar, ser livre, menos autopunitiva, menos cobradora, mais contemplativa e mais generosa com os outros e consigo mesma. Consequentemente, ela pode construir uma plataforma de janelas light que financiará o desenvolvimento sólido do código do prazer de viver. Tenhamos em mente que, no universo psíquico, nada é imutável, tudo se transforma.

A seguir, vou apresentar onze ferramentas que devem ser exercitadas ao longo da vida para desenvolver o Código do Prazer.

1. *Lapidar a arte de contemplar o belo: fazer muito do pouco.*

Quem faz pouco do muito é miserável, ainda que tenha muito dinheiro. É preciso treinar como fotografar com os olhos os detalhes das imagens que nos circundam e transformá-los num espetáculo: as flores das praças, a estética das plantas, a arquitetura das casas, a anatomia das nuvens, o entardecer.

2. *Gastar tempo com o que não traz lucro financeiro, mas lucro emocional.*

Faça exercícios físicos, caminhadas, ande descalço na terra, prepare pratos para quem se ama, construa projetos pessoais, tenha hobbies. Quem só se preocupa com o lucro do bolso é um carrasco de seu prazer de viver.

3. *Despender energia com o que não realça a imagem social, mas engrandece a paisagem interior.*

Por exemplo, contribuir com o alívio do outro, participar de instituições filantrópicas, fazer novas amizades, cumprimentar todos com distinta atenção, inclusive pessoas sem destaque social. Quem se preocupa excessivamente com sua imagem social torna-se um ser humano superficial e artificial.

4. *Entrar em camadas mais profundas das relações sociais.*

Quem não cruza seu mundo com o outro vive ilhado. Penetre no mundo dos filhos, dos alunos, dos amigos, do parceiro. Conheça seus sonhos, pesadelos, prazeres, crises, lágrimas, inclusive as que nunca foram choradas.

5. *Superar a necessidade neurótica de poder.*

O orgulho e o egocentrismo não precisam de treinamentos. Espontaneamente se desenvolvem em nosso psiquismo, mas a arte da humildade, da singeleza e da generosidade precisa de treinamentos diários. Os que possuem a necessidade neurótica de poder fazem altas exigências para serem felizes, mas promovem a infelicidade dos outros e estão despreparados para os ciclos da vida. Não sabem que sucesso social não é eterno.

6. *Gerenciar os pensamentos e a agitação mental para não perder a sensibilidade e, consequentemente, não contrair a capacidade de se posicionar como um simples ser humano diante de um mar de enigmas que cerca a existência.*

Quem não gerencia seus pensamentos desenvolve uma ansiedade crônica que envelhece a emoção e diminui o paladar pelos pequenos estímulos da rotina diária.

7. *Aquietar a mente e fixar-se no foco contemplativo.*

Uma mente cujos pensamentos estão fixos em preocupações e problemas não desfruta do foco contemplativo, não se entrega à imagem, não penetra profundamente no sorriso de uma criança, nos gestos de um idoso, na estética de um quadro. Quem não aquieta a mente tem uma experiência emocional fugaz. Como já mencionei, precisa de muitos estímulos para desfrutar de míseros prazeres.

8. *Transformar o caos em oportunidade criativa, perdas em crescimento, fracassos em notáveis experiências.*

Muitos não entendem que vitórias e fracassos, risos e lágrimas, aplausos e vaias frequentemente fazem parte de nossa vida.

9. *Agradecer muito e reclamar pouco.*

A arte de agradecer aos pais pela vida, aos filhos pela convivência, os alunos pelo privilégio de poder ensiná-los, aos colegas por colaborarem conosco e ao Autor da vida pelo show da existência coloca combustível no código do prazer.

10. *Proteger a emoção e entregar-se sem medo nas relações sociais.*

Doar-se sem esperar a contrapartida do retorno. Entender que por trás de uma pessoa que fere há uma pessoa ferida, e que a maior vingança contra um inimigo não é odiá-lo nem desejar-lhe o mal, mas perdoá-lo, compreender sua estupidez. Perdoando-o, ele morrerá dentro de nós e desbloqueará o código do prazer de viver.

11. *Distribuir elogios e economizar críticas.*

Críticas devem ser feitas, mas sem agressividade e, se possível, com brandura e generosidade. Quem distribui elogios colhe prazer sem escassez. Pais e professores que distribuem elogios aos filhos e alunos conquistam o inóspito território da emoção. Amantes que elogiam diariamente a pessoa com quem escolheram viver cultivam a primavera do amor. Os que não se submetem a este treinamento transformam grandes romances em cáusticos desertos.

Fique alerta! Cuidado!

Se sua rotina é entediante, se você não suporta a tarde de domingo, se precisa de grandes realizações para sentir mínimas emoções, provavelmente você atrofiou seu prazer de viver.

Se você é uma máquina de trabalhar, um especialista em levar problemas para casa, se não respeita seu sono nem seus fins de semana, está sendo o inimigo número 1 do código do prazer. Ninguém pode causar tanto mal a sua emoção quanto você mesmo.

Se você se preocupa apenas em ganhar dinheiro, se busca ansiosamente o reconhecimento social e é obcecado por saber o que os outros pensam e falam a seu respeito, é provável que sua musculatura esteja livre, mas sua emoção, encarcerada.

Se os seus filhos, alunos e amigos o irritam com facilidade, se você se sente contrariado com frequência, se não tolera a ignorância e a incoerência das pessoas com as quais se relaciona, então está apto a conviver com máquinas, e não com seres humanos. Viver com humanos significa praticar a arte da paciência. Os íntimos sempre nos decepcionam. E você? Certamente frustra outros também, ainda que não perceba ou não queira perceber.

Armadilha do código do prazer de viver

M.L. era um homem brilhante, executivo perspicaz, inventivo, inovador, eficiente gestor e motivador de pessoas. Confiante em si, largou o emprego e se arriscou em um voo solo. E foi longe. Montou uma empresa no mundo digital. Depois de atravessar os vales das dificuldades, transformou milhares de dólares em milhões, e milhões em centenas de milhões. Deu um salto diante dos olhares sociais.

Tornou-se um empresário invejável, um gigante no mundo das finanças, um herói no terreno da inovação, mas não entendia por que tinha se transformado, ao mesmo tempo, em um mendigo no território da emoção. Perdeu encanto pela vida, a graça da existência. Sobrava dinheiro no banco, mas faltava alegria no banco da emoção. Sobrava admiração social, mas faltava-lhe brilho em seu psiquismo. Afastou-se de suas raízes, raramente tinha tempo para seus filhos, para rever os amigos, para ficar com a mulher com quem escolheu viver. Abandonou-se; vivia só em meio à multidão.

Não sabia que o sucesso é mais difícil de ser trabalhado que o fracasso. Não sabia que o risco de se ter sucesso é tornar-se uma máquina de trabalhar. O sucesso pode contrair pouco a pouco a sensibilidade. Já atendi multimilionários e celebridades e, infelizmente, vi pessoas excepcionais que eram maltrapilhas morando em palácios. Desprezaram a arte da contemplação do belo, mitigaram o código do prazer de viver.

Contemplar é diferente de admirar

O prazer mais intenso não é fruto de experiências emocionais momentâneas, como assistir a um show, receber um elogio, ter êxito em uma prova. Do ponto de vista psiquiátrico, psicológico, sociológico e filosófico, o prazer mais penetrante é o que lança raízes mais profundas nos solos da emoção. Ele deriva da arte de contemplar o belo. Contemplar é se entregar completamente ao belo, enquanto admirá-lo é se entregar parcialmente, ter uma experiência fugaz, rápida, passageira.

Os sociopatas também admiram o belo, mas quando penetram em zonas traumáticas soterradas em sua psique, a admiração dá lugar à raiva, o prazer momentâneo é substituído pela violência. Por não contemplar o belo, não amadurecem sua emoção, ferem os outros, não se importam com as consequências de seu comportamento.

É provável que 99% das pessoas admirem o belo nas sociedades e apenas 1% saiba contemplá-lo. Admirar é parar diante de uma flor e senti-la por alguns segundos. Contemplar é penetrar em seu mundo, é se deixar tomar por suas sutilezas. Não é ter rápidas conversas com as pessoas que amamos, mas penetrar nas camadas mais profundas delas.

Contemplar a relação é ter coragem e maturidade para falar de nossas lágrimas para que nossos filhos aprendam a chorar as deles. É ter ousadia para perguntar a quem amamos: "O que posso fazer para tornar você mais feliz? Onde falhei com você e não percebi?"

Contemplar é estacionar o carro diante das praças pelas quais passamos todos os dias e não nos importamos de parar para nos encantar com suas flores e formas. É descobrir as coisas lindas no deserto do tédio. É imergir nas imagens e nas palavras. Quem despreza esse código nunca será emocionalmente profundo e estável.

Como disse, não são os mais cultos os mais ricos, nem mesmo os mais célebres que investem no prazer de viver, mas aqueles que transformam sua história em uma aventura, libertam sua criatividade para serem caminhantes em busca de si mesmos. Que tipo de investidor você é?

Um homem que desenvolveu o código do prazer

Um intrigante homem que viveu há dois milênios foi capaz de interromper a multidão no auge do sucesso para contemplar o belo. Todos queriam ver o que aquele homem via, dos discípulos aos líderes sociais, mas ninguém enxergava. Depois de prolongados suspiros contemplativos, ele se voltou à plateia e a alertou de que os que procuram grandes eventos, aplausos ou reconhecimentos não serão felizes, pois o segredo do prazer mais nobre se encontra nas coisas simples e anônimas. Quantos notáveis líderes espirituais das mais diversas religiões, bem como filósofos, psicólogos e médicos, ficaram deprimidos por desprezar os segredos desse código?

Sua frase foi carregada de simbolismo psicológico: "Olhem os lírios dos campos; vejam como são tão belos." Que homem era esse que, saturado de fama e de problemas, tinha tempo para as coisas diminutas? Era uma mente brilhante que desenvolveu na plenitude o código do prazer e os demais códigos aqui apresentados. É lamentável que o homem Jesus tenha sido estudado ao longo da história apenas sob o ângulo da espiritualidade, da religiosidade, e não sob o foco da psiquiatria, da psicologia e da sociologia.

Você tem tempo para as coisas simples? Como está o quadro que você colocou na parede há anos? Você ainda para diante dele, o observa e suspira? E os móveis? E arquitetura de sua residência? E os jardins de sua casa ou de seu condomínio? E os pratos que estão diante de você? Você os contempla? Você engole a comida ou mastiga com prazer, sorvendo os sabores? Admira as cores e formas dos alimentos? E seus filhos e alunos? Você penetra nas camadas mais profundas da personalidade deles? Conhece os sonhos e os pesadelos deles ou pensa que os conhece?

Não é inútil reiterar que muitas pessoas se perdem em mil atividades. Têm tempo para tudo, mas não para homenagear os "lírios dos campos", nem para exaltar os pequenos estímulos que se encenam diante de si. Deixaram suas raízes, esqueceram do essencial. São ótimos para a sociedade, mas estão muito longe de serem generosos consigo mesma. Precisam desesperadamente de um caso de amor com sua própria história.

Possíveis consequências de quem decifra o
código do prazer de viver:

1. Torna-se bem-humorado, flexível, generoso.
2. Torna-se uma pessoa paciente e tolerante.
3. É agradável, cativante, uma pessoa que todos amam estar ao lado.
4. Educa, inspira, promove e contribui com a emoção e a inteligência global dos outros.
5. É um sonhador, é ser humano apaixonante, excitante, que transforma a vida numa eterna aventura.

Possíveis consequências de quem não o decifra:

1. Torna-se uma pessoa cronicamente insatisfeita.
2. Transforma-se em um especialista em reclamar, criticar, apontar falhas e, consequentemente, torna-se uma pessoa de difícil convivência.
3. Desenvolve pessimismo e humor depressivo.
4. Torna-se uma máquina de trabalhar, um aparelho de atividades.
5. Coloca em segundo plano o fundamental, sua própria pessoa e as pessoas que ama, e em primeiro plano o colateral.

Decifrando o código do prazer de viver:
exercícios

1. Refine o olhar contemplativo e fixar-se em seu foco. Aprenda a observar sem julgar; aprecie sem preconceitos.
2. Aprender a administrar o intelecto e a emoção.
3. Invista em seus sonhos, em lazer, no esporte, na saúde de seu corpo e de sua mente.
4. Jamais use seus fins de semana ou o leito de sua cama como extensão de seu trabalho. Entenda que o sucesso é mais difícil que o fracasso.

5. Entenda que nenhum ser humano é digno do prazer profundo e estável se desprezar suas raízes. Aprenda a escrever, nos dias mais dramáticos de sua existência, os capítulos mais importantes de sua história.

CONCLUSÃO

Capítulo 19

Os profissionais que decifraram os códigos: as diferenças entre bons e excelentes profissionais

A genialidade genética e a genialidade aprendida

É preferível ter uma memória mediana, mas que procura desenvolver a intuição criativa, libertar o imaginário, o altruísmo, a autocrítica, o gerenciamento da psique, do que ter um córtex cerebral privilegiado e não saber o que fazer com o estoque de dados arquivados.

A genialidade aprendida alicerça a maturidade, a serenidade, a generosidade, a capacidade de observação, a dedução e a indução. A genialidade genética só estoca informações. Há pessoas que são bibliotecas ambulantes, têm vários cursos universitários, mas não são criativas, não sabem proteger sua psique nem enfrentar com sabedoria as intempéries da vida.

Quem não se fragiliza em situações em que deveria ser forte? Quem não recua ou se fragiliza quando ferido? Quem não turva sua segurança diante da dor? Não há gigantes.

O senso comum diz que "o sofrimento, os erros e as perdas amadurecem as pessoas". Mas na prática essa tese não é defensável. Não se engane! A maioria das pessoas piora seus níveis de paz e serenidade à medida que sofre. O sofrimento só nos enriquece quando é intuitiva ou quando é trabalhado racionalmente.

O senso comum diz que "quem não aprende com amor aprende com a dor". A dor ensina, mas não é uma excelente mestra. A dor só se torna uma mestra quando nos tornamos seu mestre, quando nos interiorizamos, refletimos, desenvolvemos consciência crítica, deixamos de ser deuses e nos humanizamos. Caso contrário, a dor produz zonas de conflito, portanto será inútil, algoz. Ela destrói a busca pela excelência em seus amplos aspectos.

A busca pela qualidade de vida

Ao longo de mais de 25 anos conheci pessoas encantadoras no consultório, mas mostravam o pior lado de si a quem mais amavam. Em ambientes socialmente estranhos eram angelicais, mas, ao abrir a porta de casa, abriam também as janelas doentias da sua memória, libertando os "fantasmas" da impaciência, da intolerância e da irritabilidade.

*Há mais mistérios entre pensar e ser um pensador
do que imagina nossa frágil e jovem psicologia.*
A. Cury, em *O vendedor de sonhos II – A missão*

Nem sempre os pais e professores libertam seu imaginário e procuram decifrar os códigos da inteligência para dar o melhor de si para seus filhos e alunos. Raramente um executivo faz uma profunda autocrítica para avaliar se está mostrando seu lado mais humano para sua secretária e seus auxiliares. Não se soltam, não relaxam, não motivam, não brincam, não encantam, embora tenham potencial para surpreender. Às vezes, damos o pior de nós, inclusive para nós mesmos. Não procuramos a excelência da qualidade de vida.

J.V. trabalhou arduamente para tornar-se um grande empresário. E conseguiu. Enriqueceu muito, mas não tinha mais tempo para seus familiares nem para si mesmo. Abandonou-se em meio a um mar de compromissos.

Tinha casa na praia, mas raramente ia descansar. Tinha uma fazenda belíssima e gostava de criar gado, mas não tinha tempo para o que gostava. Tinha condições para viajar para qualquer lugar do mundo de primeira classe, mas não podia se dar esse luxo. Só viajava a trabalho.

Mas um dia interrompeu seu ritmo alucinante. Foi descansar em um leito de hospital com infarto agudo do miocárdio. Às portas da morte, descobriu que fora mesquinho consigo mesmo. Fora um rico miserável. Felizmente, teve uma segunda chance e pôde refazer sua jornada.

Muitos trabalham sem parar. Quanto mais dinheiro acumulam, mais precisam trabalhar para manter o padrão e pagar os funcionários que têm. Nunca desfrutam do sucesso. Vivem uma eterna fadiga em uma existência brevíssima.

Se vivêssemos mil anos, valeria a pena gastar cem trabalhando como um louco; mas se vivemos, em média, oitenta anos é loucura trabalhar sem parar. Planejar o prazer, os sonhos e os projetos é fundamental. Mas desprezamos a busca pela excelência da qualidade de vida.

Os professores são cozinheiros do conhecimento que preparam carinhosamente o alimento para uma plateia sem apetite. Nunca os alunos estiveram tão alienados.
A. CURY, em *Projeto Escola da Inteligência*

Procurar a excelência afetiva, intelectual, social e profissional deveria ser a meta de todo ser humano. Procurar a excelência não é viver a paranoia de ser o número um. Não é desejar obsessivamente ser o centro das atenções sociais. Mas é dar o melhor que temos para irrigar a nós mesmos e a nossa empresa, escola, família. Quem não busca a excelência vive nas tramas do individualismo. Pensa muito mais em si mesmo do que nos outros.

Ao buscar a excelência nos outros, temos de entender que não há pessoas destituídas de inteligência, mas pessoas que não aprenderam a decifrar os códigos que libertam seu potencial intelectual. Não há pessoas mentalmente medíocres, mas mentalmente inertes, conformistas, paralisadas pelo medo de ousar. Procurar a excelência é treinar nosso intelecto para trazer à tona o ouro que se esconde no terreno acidentado das nossas dificuldades e limitações.

O DNA dos excelentes profissionais

Os códigos da inteligência podem ser aplicados para que qualquer pessoa – seja cientista, estudante, pai, mãe, filho, professor, amante – dê um salto qualitativo. Mas neste último capítulo falarei sobre a busca pela excelência profissional. Os princípios aqui comentados podem a aplicados em diversas áreas de nossa vida.

Um excelente profissional não é apenas um líder, mas um líder que aprendeu; não é um gestor pronto, mas um gestor construído. O DNA de um excelente profissional é esculpido no terreno da educação, elaborado nos solos dos conflitos, forjado no calor dos desafios, esculpido no terreno das fragilidades.

No passado, ser um bom profissional era suficiente para ter segurança, obter regalias, atingir metas. Hoje, as sociedades capitalistas passam por transformações tão rápidas e agressivas que, para se ter segurança e saúde psíquica, não basta ser bom, é necessário atingir a excelência.

No passado, uma grande empresa demorava duas ou três gerações para desaparecer, fechar, trocar de mãos ou falir. Hoje bastam alguns anos ou meses para ir à bancarrota. Bons profissionais são atropelados em um mercado altamente competitivo; só os excelentes sobrevivem.

Mas o que é ser um excelente profissional? Essa é uma grande questão! Quais as diferenças entre um bom profissional e um excelente? Esta é outra excelente pergunta. Um excelente profissional decifra os códigos da inteligência e desenvolve pelo menos quatro hábitos multifocais.

O profissional excelente não é o que mais trabalha, e sim o que mais pensa. Não é o previsível, mas o que surpreende. Não é o que repete comportamentos, mas o que se reinventa. Não é o que engessa a mente, mas o que liberta a imaginação. As empresas e universidades são canteiros de excelentes profissionais? Em minha opinião, não.

Vamos analisar agora os cinco hábitos dos excelentes profissionais.

1º Hábito

Bons profissionais fazem tudo que lhe pedem, enquanto excelentes profissionais surpreendem, fazem além do que lhe solicitam.

Um bom profissional executa as tarefas que lhe são solicitadas, enquanto um excelente profissional decifra o código da intuição criativa e faz muito mais do que lhe pedem. Um bom profissional é correto, ético, responsável, mas não se doa, não se entrega, não faz nada além de sua obrigação. Um excelente profissional supera as expectativas.

Um bom profissional vive no cárcere da rotina, não tem flexibilidade, só consegue andar se tiver um mapa. Tem medo de falhar, ser criticado, ter novas atitudes. Um excelente profissional tem jogo de cintura, é ousado, criativo, inovador, perspicaz.

Um bom profissional respeita o programa, um excelente abre as janelas da sua mente e ultrapassa suas fronteiras. Um bom profissional descobre o óbvio, um excelente deixa fluir o raciocínio e descobre o novo. Um bom profissional prefere a segurança dos terrenos conhecidos, um excelente prefere a insegurança de terrenos inexplorados.

Um bom profissional pertence ao rol dos comuns, enquanto um excelente profissional pertence ao grupo dos estranhos no ninho, embora seja sociável. O que move um excelente profissional não é o desejo de estar acima dos colegas, mas seu altruísmo, seu desejo de servir e contribuir.

Se alguém pede para um excelente profissional procurar determinadas informações, ele consegue dados além dos solicitados. Se lhe pedem para remendar uma rachadura na parede, ele procura outras rachaduras não detectadas. Se alguém lhe solicita uma alternativa para um determinado problema, ele estuda o máximo de possibilidades. Se lhe pedem água, ele também oferece um café.

Um bom profissional executa o previsível, um excelente faz o imprevisível. Um bom profissional passa despercebido, um excelente, por mais simples que seja seu trabalho, jamais deixará de ser notado. Encanta, envolve, influencia.

Os princípios de um excelente profissional podem e devem ser trabalhados tanto no intelecto de um faxineiro quanto na mente do executivo. Professores, alunos, médicos, terapeutas dariam um salto profissional se os aplicassem. São universais.

2º Hábito

Bons profissionais corrigem erros, enquanto excelentes profissionais os previnem.

Bons profissionais fazem o que podem para reparar um acidente, profissionais brilhantes fazem o que podem para evitar que eles ocorram. Os novos tempos exigem uma liderança especializada em prevenir crises e não em corrigi-las.

Bons profissionais apagam o fogo, enquanto os excelentes previnem o incêndio. Bons profissionais tratam os sintomas, enquanto profissionais excelentes previnem as doenças. Bons profissionais têm um raciocínio lógico-linear, excelentes profissionais têm um raciocínio esquemático e histórico-social.

Corrigir erros gera aplausos públicos, preveni-los nem sempre gera glamour social, mas produz um reconhecimento insubstituível e anônimo: o da própria consciência. Os médicos sanitaristas não costumam ser valorizados socialmente, mas o que seria de nós se não fossem as vacinas?

Um bom profissional desconhece a arte da dúvida, tem verdades inquestionáveis, é um deus à procura de servos, enquanto um excelente profissional sabe que é um ser humano imperfeito vivendo em um ambiente imperfeito. É um líder que procura pensadores. Manipula a arte da dúvida com maestria e humildade. Pergunta continuamente: "O que pode dar errado?", "Que falhas cometi e não percebi?", "O que não estou enxergando?"

Tentar arrumar solução para uma empresa com graves dificuldades financeiras é um patamar; evitar que chegue nessa situação é um degrau mais elevado. Tentar vender produtos e serviços quando a empresa está em decadência é a atitude de bons executivos; libertar a intuição criativa para inovar, reciclar e se reinventar quando a empresa está no auge é a atitude de um excelente profissional.

3º Hábito

Bons profissionais executam ordens, enquanto profissionais excelentes pensam pela empresa.

Bons profissionais desejam primeiro ser gestores de sua empresa, enquanto excelentes profissionais almejam ser primeiro gestores da sua mente. Sabem que ninguém pode ser um brilhante líder no teatro social, se não for primeiro um grande líder no teatro psíquico.

Bons profissionais obedecem a ordens, enquanto excelentes profissionais pensam pela empresa. Os que obedecem a ordens só enxergam a crise depois de instalada, mas os que pensam percebem seus sinais antes que ela surja.

Bons profissionais são gastadores compulsivos, enquanto os excelentes são poupadores compulsivos, embora nunca deixem de investir em seus sonhos e lazer. Bons profissionais vivem o presente; os excelentes planejam o futuro.

Bons profissionais acham que pensam, mas no fundo repetem as ideias, enquanto os excelentes as constroem. Bons profissionais fazem propaganda das suas obras, enquanto os excelentes profissionais esperam que os outros a reconheçam.

Bons profissionais são vítimas da SPA, vivem agitados, ansiosos, sofrem por antecipação, têm ataque de nervos na empresa. Os excelentes profissionais, ainda que tenham a SPA, redesenham seu estilo de vida, não descarregam sua ansiedade nos colegas, procuram decifrar o código da proteção da emoção.

Os excelentes profissionais sabem que um líder doente formará liderados doentes e um líder ansioso criará um ambiente psicótico.

Flexibilidade, autocrítica, gestão psíquica e feeling para se antecipar aos problemas são códigos fundamentais para quem quer atingir a excelência profissional. As crises começam a ser concebidas no auge do sucesso. A gestação dos fracassos inicia-se sob os aplausos do pódio.

4º Hábito

Bons profissionais são individualistas, enquanto excelentes profissionais trabalham em equipe, lutam pelo cérebro do time.

Bons profissionais vivem ilhados, enquanto profissionais excelentes vivem interagindo. Bons profissionais valorizam a força do indivíduo, profissionais brilhantes valorizam a força do grupo. Bons profissionais lutam pelo estrelismo, enquanto profissionais excelentes lutam pelo sucesso da equipe.

Profissionais excepcionais sabem que trabalhar em equipe é mais do que estar juntos, é cruzar mentes. Sabem que é mais do que se sentar na frente um do outro e emitir opiniões, mas deixar fluir o pensamento, trocar ideias, traçar objetivos, definir focos.

Bons profissionais são ingênuos, desconhecem as armadilhas da sua mente e da de seus colegas, enquanto excelentes profissionais têm consciência de que todos os membros da equipe, inclusive ele, possuem fantasmas alojados no seu inconsciente: o fantasma do ego, das vaidades, dos paradigmas rígidos, da hipersensibilidade, do ciúme, da necessidade neurótica de ter a última palavra.

Os excelentes profissionais sabem que até a timidez é uma forma sutil de disfarçar o orgulho, de ser reservado, de não colocar em xeque suas opiniões. Sabem ainda que por mais democráticos que sejamos, todos temos um pequeno ditador em nosso inconsciente, até quando hasteamos a bandeira da humildade.

Por isso, são facilitadores do debate, exaltam a participação dos membros, valorizam as respostas que não são aproveitadas, estimulam a democracia das ideias, promovem o código do altruísmo, colocam combustível no código do altruísmo, aplainam o relevo das vaidades.

5º Hábito

Bons profissionais usam o poder do medo e da pressão, enquanto excelentes profissionais usam o poder do elogio.

Bons profissionais são aptos para cobrar, pressionar, punir, mas excelentes profissionais são aptos para encorajar, estimular e apostar no seu time. Sabem que quem pressiona e pune seus pares está apto para lidar com números, mas não com seres humanos. Não têm a necessidade neurótica de estar sempre certo ou de ser o centro das atenções.

Excelentes profissionais conhecem o funcionamento da mente, sabem que o que determina o impacto das suas palavras não é seu tom de voz, mas a imagem que construiu no inconsciente coletivo das pessoas. Se a imagem é excelente, pequenas palavras bastam; se a imagem for ruim, gritos não serão suficientes.

Sabem que o poder do elogio é muito mais eficiente do que o poder do medo e da pressão. Têm plena consciência de que tanto para corrigir seus liderados quanto para motivá-los, antes deve-se conquistar o território da emoção e depois o da razão. Vivem de acordo com este pensamento: *quem não sabe elogiar não é digno de receber elogios.* Sabem que seus funcionários não são seus servos, mas seus parceiros. Encanta-os, esbanja carisma em todos os setores em que trabalha e atua.

Excelentes profissionais sabem que liderança e carisma não dependem da cultura lógica, acadêmica. Há pessoas cultíssimas, mas que são intragáveis, enquanto que há pessoas simples que são intensamente atraentes.

Muitos universitários estão se formando sem decifrar os códigos da inteligência. Tornam-se hábeis para conviver com máquinas e animais, mas não com pessoas nem com seus próprios conflitos.

Só fazem o trivial, só realizam o esperado. Não surpreendem, não arrebatam, não encantam, não motivam. Não entendem que aprender a pensar e surpreender vale mais do que muitos diplomas.

Capítulo 20

Vendendo os sonhos em uma sociedade que deixou de sonhar

Uma história fascinante dentro de cada ser humano

Para finalizar este livro interpretarei, à luz dos códigos da inteligência, alguns fenômenos psíquicos e sociais presentes nos dois romances que escrevi e que mexeram com raízes do meu ser, pois revelam minha crítica ao sistema social e o meu pensamento sobre os caminhos que estamos trilhando. Esses livros são O futuro da humanidade e O vendedor de sonhos.

O livro O futuro da humanidade inicia sua história em uma sala de anatomia onde os alunos de medicina estão paralisados em seu primeiro dia de aula diante dos corpos nus que dissecarão. Quem estava morto: os corpos a serem dissecados ou os alunos que os dissecariam? Em alguns aspectos, ambos.

Os cadáveres haviam fechado seus olhos para a vida e os alunos silenciaram sua capacidade de questionar os mistérios que norteiam a existência. Não questionavam a identidade e a história daqueles corpos anônimos. Estavam igualmente mortos nesse aspecto.

Felizmente, um aluno chamado Marco Polo ficou perturbado com o ambiente. O ilustre professor, chefe do departamento, estava dando uma aula brilhante sobre técnicas de dissecação de músculos, artérias e nervos. Sem conseguir se conter, Marco Polo levantou uma das mãos para fazer uma pergunta. Mas o professor-doutor não gostava de ser interrompido durante a sua exposição. Insatisfeito, abriu uma exceção e permiti que o aluno falasse.

Marco Polo fez uma pergunta fatal: "Qual o nome das pessoas que nós vamos dissecar?" O professor se incomodou com a questão. Respondeu mal-humorado que as pessoas que estavam na sala de anatomia não tinham nomes.

Angustiado, o aluno novamente questionou: "Mas, professor, esses seres humanos não tiveram história, não sonharam, não amaram nem choraram?" Irritado, o professor disse que os corpos eram de mendigos, indigentes, psicóticos sem família, sem nada.

O aluno retrucou: "Como vou dissecar seus músculos, nervos e vasos sanguíneos sem conhecer os capítulos básicos do seu passado?" O professor rechaçou a petulância de Marco Polo na frente dos colegas. Como não decifrara o código do debate de ideias, não admitia alguém que pensasse diferente dele. Fazia parte de uma faculdade cujo programa objetivava formar médicos que repetem informações e não que pensam. Médicos que diagnosticavam doenças e não enxergavam o doente, que sabiam pedir exames, mas não sabiam libertar sua intuição criativa, seu feeling, seus insights.

Debochado, o professor disse rispidamente: "Olhe aqui, garoto, se você quer investigar a vida das pessoas, escolheu a profissão errada!" Todos os colegas zombaram de Marco Polo. Humilhado, ele começou a entender que quem pensa diferente tem de pagar um preço. Para sobreviver a essa e outras situações estressantes, teria de aprender a decifrar o código da proteção da emoção. Esse seria seu grande desafio como estudante de medicina e futuro psiquiatra.

Além de debochar de Marco Polo, o professor o desafiou: "Se você duvida de mim, vá à sala central e veja se esses corpos têm história. E se achar alguma interessante, teremos prazer em ouvi-la."

Mais uma vez os colegas de Marco Polo não se aguentaram. Riram do aluno que acreditava que por trás de um corpo de um miserável havia um mundo a ser descoberto. Para os alunos e professores de anatomia, os cadáveres eram apenas corpos, sem vida, sem identidade, sem passado.

Mortos-vivos

Diminuído, saiu da sala de anatomia. Mas em vez de se enterrar nos sentimentos de vergonha e humilhação, Marco Polo decifrou o código do Eu como gestor do intelecto. Foi à luta. Aceitou o desafio. Usou seu caos como oportunidade criativa.

Mas a luta se mostrou árdua, difícil, espinhosa, perigosa. Não conseguia encontrar nenhuma informação sobre os homens e as mulheres que seriam dissecados. Depois de muita insistência, já quase desistindo, encontrou na praça central um mendigo chamado Falcão, um doente mental fascinante e inteligentíssimo.

O mendigo já fora um brilhante professor de filosofia, mas havia sido mutilado por uma psicose. Dos patamares mais altos da glória passou pelos vales mais profundos da rejeição, do desprezo, do escárnio e do vexame. Foi excluído pela universidade, pela família e pelos amigos. Saiu sem rumo, sem direção, sem bens, deixando para trás um passado despedaçado.

Tornou-se um mendigo. E como mendigo começou a decifrar o código da autocrítica, da capacidade de suportar crises, do altruísmo e da criatividade. O filósofo da universidade se tornou um filósofo das ruas, mais sábio, instigante, lúcido, provocativo e crítico social.

O maior desafio de Marco Polo era conquistá-lo. Durante a construção da inusitada amizade, o mendigo encantou o estudante e revelou-lhe um mundo fascinante. Tornaram-se uma dupla de arruaceiros.

Tempos depois, chegou o grande dia e Falcão foi levado até a sala de anatomia. Todos ficaram chocados com a presença do mendigo, que cheirava mal e usava roupas podres e rasgadas. O professor preparou-se para expulsar Marco Polo e o intruso. Mas, subitamente, um espetáculo teve início.

O mendigo começou a revelar a identidade dos cadáveres. Todos tinham histórias riquíssimas capazes de nos levar às lágrimas. De repente, quando o mendigo revelou a identidade do último corpo, o professor ficou vermelho, com a voz embargada, e começou a chorar. O último cadáver era alguém muito íntimo dele, mas que não via há anos.

Atônito, percebeu o erro gravíssimo que cometeu. Era um professor respeitado, formado na Universidade de Harvard, que sabia dissecar corpos, mas não sabia penetrar nas entranhas da alma humana. Não estava qualificado para formar pensadores. Precisava sair do pensamento linear e enxergar a existência sob múltiplos ângulos. Precisava voltar a ser um pequeno aluno para aprender a decifrar os códigos da inteligência.

Citei alguns poucos fenômenos de *O futuro da humanidade* para mostrar que os corpos da sala de anatomia são figuras do ser humano moderno. Assim como aqueles corpos anônimos pareciam não ter histórias, cada vez mais nossa história é diminuída, asfixiada, negada. Tornamo-nos mais um número na multidão, apenas um número de cartão de crédito.

Em uma sociedade superficial como a nossa, apenas celebridades parecem ter histórias dignas de interesse. Na realidade, todos nós temos uma história complexa, saturada de recuos e avanços, de aventuras e perdas. Mas quem se importa com ela? Quem se encanta ou se importa com o filme existencial dos anônimos? Não somos mortos-vivos. Não podemos concordar em ser apenas mais um consumidor no mercado e perder as matrizes de nossa identidade.

O futuro da humanidade não será deslumbrante se não tomarmos o roteiro de nossa história em nossas mãos e aprendermos a ser atores e atrizes principais de nosso teatro psíquico. Seremos dirigidos pelos outros e controlados pelas circunstâncias.

Agente das próprias perdas

No livro *O vendedor de sonhos*, um doutor em sociologia está no topo de um edifício, no ápice do desespero, tentando se matar. Era arrogante, agressivo,ególatra, individualista. Um sujeito insuportável, até aos seus próprios olhos. Sofrera uma sequência de perdas causadas por ele mesmo. Perdeu o filho, esposa, prestígio, influência, poder, dinheiro, sentido de vida, disposição existencial.

Não decifrou o código da resiliência. As perdas fizeram com que seus problemas piorassem e não o transformaram em uma pessoa mais flexível, ponderada, serena; ao contrário, ficou intragável. Como não era generoso com os outros, quando se deprimiu foi implacável consigo mesmo: sentenciou-se à morte.

Policiais e bombeiros não conseguiam resgatá-lo do alto do edifício. Ao se aproximarem, ele ameaçava se atirar. Um famoso psiquiatra também foi chamado para ajudar na desafiadora tarefa. Usou técnicas, deu conselhos, mas nada funcionou. O homem estava decidido a morrer.

No sopé do edifício, uma multidão desesperada esperava o desfecho dramático da cena. Então, surgiu um homem misterioso. Ninguém sabia sua origem, sua história acadêmica, seu nome, sua família. Era um anônimo como os corpos na sala de anatomia da obra anterior.

O forasteiro venceu todos os cercos e conseguiu chegar ao topo do edifício. Lá, enfrentou a guerra do preconceito. Vendo seu paletó desarrumado e seu cabelo desgrenhado, o chefe de polícia e o psiquiatra o barraram.

Mas ele disse que havia sido chamado. Em um piscar de olhos, um encarou o outro e se indagaram quem chamou quem. Enquanto isso, o "vendedor de sonhos" penetrou na zona de perigo onde estava o suicida. Apreensivos, não conseguiram retirá-lo de cena.

O suicida, ao vê-lo, gritou: "Eu vou me matar!" A multidão, ao ver sua reação, teve calafrios. Entretanto, em vez de se importar com o drama do suicida, o homem sentou-se no parapeito a 3 metros de distância do infeliz. De repente, desembrulhou um sanduíche e começou a comê-lo prazerosamente. O suicida ficou atônito. Sentiu-se afrontado.

Perturbado, gritou mais uma vez que ia se matar e deu um passo à frente. Nesse momento, o misterioso homem soltou um torpedo emocional inesperado.

Olhando firmemente para o suicida, disse-lhe sem pestanejar: "Você quer fazer o favor de não atrapalhar meu jantar?" O suicida levou um susto, quase caiu lá de cima. Pensou consigo mesmo: "Encontrei alguém mais maluco do que eu!"

Usando os códigos da inteligência para interpretar a cena, podemos entender que o maltrapilho conquistou primeiro a emoção, depois a razão do suicida. Retirou-o da masmorra da janela killer, abriu o leque do seu pensamento não com teorias, não com conselhos vazios, mas com reações surpreendentes. A emoção não é conquistada com o trivial, e sim com o inesperado.

Assim termina o primeiro capítulo e começa a trama desse romance. Com sua provocante inteligência, o enigmático homem, cada vez que abria a sua boca, abalava o arrogante intelectual.

Comprando o sonho de uma "vírgula"

O vendedor de sonhos penetrou no cerne do seu egocentrismo e o bombardeou com a arte da dúvida: o que é a existência? O que é a morte? O que é o teatro do tempo? A morte é o fim desse teatro ou o começo de uma peça inextinguível? Quando queremos morrer, temos consciência da morte ou todo pensamento sobre a morte não deixa de ser uma homenagem à vida?

O suicida, que sempre foi considerado um deus e que, quando pensou em se matar, continuava sendo um deus controlado por verdades absolutas e pelo pensamento linear, foi desmoronando pouco a pouco.

Morin assinala que o confronto com um mundo de indivíduos autorrealizáveis para uma "sociedade de indivíduos" passa por uma reflexão profunda do sofrimento humano e das diferenças impostas a uma multidão de desvalidos (Morin, 1997). Há uma multidão de desvalidos que não têm acesso a bens de consumo, quase não têm perspectivas de ascensão social e possuem subempregos. Mas, para o protagonista do livro *O vendedor de sonhos*, há uma multidão de desvalidos muito maior, presente em todas as classes sociais.

Para esse personagem, os habitantes das cidades modernas tinham casas, casebres, apartamentos, mansões, mas não encontraram o maior de todos os endereços: o endereço dentro de si mesmo. Eram forasteiros em seu próprio ser.

O suicida, um notável intelectual da sociologia que conhecia a biografia de muitos personagens da história, nunca penetrou em camadas mais profundas do seu psiquismo. Era um estranho para si mesmo. Não conhecia áreas mais secretas da sua própria biografia.

Sem que o suicida percebesse, o vendedor de sonhos começou a vender-lhe um dos seus grandes sonhos: uma vírgula. Uma vírgula? Sim, uma vírgula, para que ele continuasse a escrever sua história, apesar de perdas, falhas, traições, frustrações, angústias, sentimentos de culpa e raiva.

Todos nós precisamos comprar vírgulas no traçado da existência. *A vida é um grande e complexo texto que precisa de muitas vírgulas para ser escrito, ainda que essas vírgulas em alguns momentos assumam o formato de lágrimas.*

Depois de resgatar o suicida, o vendedor de sonhos sai pela cidade proclamando aos quatro ventos que a humanidade se converteu em um grande hospital psiquiátrico. Normal era quem vivia tenso, ansioso, inquieto, hiperpensante, emocionalmente flutuante, insatisfeito, com a sensação de estar por um fio, quem apresentava sintomas psicossomáticos, enterrava os sonhos. O anormal era ser tranquilo, relaxado, sereno, humano, resgatar seus projetos pessoais, conversar com as flores.

Para mim, esse é um retrato cru das sociedades modernas. O normal virou anormal. A regra virou exceção. Adoecemos coletivamente na era dos celulares e dos computadores, em meio a fantásticos saltos tecnológicos.

Após denunciar o manicômio global, o misterioso personagem começou a causar tumultos e confusões. Por onde passava, chamava pessoas admiráveis que viviam à margem da sociedade, como alcoólatras, doentes mentais e modelos com bulimia, para vender sonhos em uma sociedade ansiosa para consumir produtos e serviços, mas não reflexão, ideias e conhecimento. Seria ele o mais psicótico dos seres ou um sábio incompreendido? Um impostor ou pensador muito além de seu tempo? Era certamente um estranho no ninho social. Ora muitíssimo amado, ora odiado. Em alguns momentos aplaudido, em outros vaiado. Mas nada inibia seu projeto.

O meu grande sonho

Jamais imaginei que ao escrever o primeiro volume de *O vendedor de sonhos*, um livro tão crítico do sistema social, ele se tornasse o romance mais lido do país no ano em que foi lançado. Não escrevo para ter sucesso, mas por causa da minha paixão pelas ideias e pela vida. Meus livros gritam para mostrar que precisamos aprender a ser protagonistas de nossa história psíquica, dentro do possível.

Ficaria felicíssimo se não fosse vendido nenhum exemplar dos meus livros, mas se crianças, adolescentes e adultos aprendessem, no pequeno cosmo da casa, da sala de aula e das empresas, o código do Eu como gestor psíquico, da autocrítica, da resiliência, do debate, do altruísmo, do carisma, da intuição criativa.

Se esses códigos fossem decifrados desde cedo, milhares ou talvez milhões de pessoas poderiam expandir os horizontes da inteligência, lapidar suas habilidades, prevenir depressão, anorexia nervosa, síndrome do pânico e uma série de outros transtornos. Poderíamos também resolver com mais eficiência os conflitos sociais.

Teríamos mais chances de formar mentes brilhantes. Os pensadores que iriam construir a sociedade do futuro lutariam ansiosamente pela família humana e menos pelos seus feudos. O ser humano libertaria as múltiplas formas de raciocínio e se tornaria agente de um novo tempo. Utopia? Sonho? Talvez. Mas sem sonhos nossas emoções não têm orvalhos e nossos intelectos não têm sementes: são estéreis.

Seríamos uma humanidade com mais chances de transportar as palavras felicidade, tolerância, afetividade, sabedoria, tranquilidade, saúde psíquica e justiça social das páginas dos dicionários para as páginas de nossa personalidade. Teríamos menos necessidade de psiquiatras, psicólogos, terapeutas, juízes, promotores, soldados, prisões, exércitos, armas.

Teríamos mais educadores, jardineiros, poetas, filósofos, escultores, pintores e pensadores. Nossos sorrisos seriam menos formais e mais sinceros. Seríamos uma sociedade mais lírica e bem-humorada, teríamos mais abraços e menos exclusões.

Uma sociedade que não estimula a interiorização, que ama os holofotes da mídia, que valoriza somente quem atinge o pódio, que louva excessivamente quem é premiado poderia ser saudável? Não, pois apenas uma pequeníssima minoria atinge esses patamares! Essa sociedade bloqueia a capacidade de decifrar e aplicar os códigos da inteligência, as ferramentas mais nobres da psique. Precisamos aplaudir a coragem daqueles que nunca foram premiados. E precisamos ensinar a nós mesmos e a eles que a vida é o grande prêmio.

Diante desse insondável prêmio, sonho que possamos superar as armadilhas da mente, explorar o infinito mundo psíquico e conhecer cada vez mais a nós mesmos, seres complexos e belíssimos e, ao mesmo tempo, imperfeitos e complicados.

E, acima de tudo, nesse brevíssimo teatro da existência, sonho que um dia possamos ser "vendedores de sonhos" em uma sociedade consumista que deixou de sonhar e pensar criticamente...

Referências bibliográficas

ADLER, A. *A ciência e da natureza humana*. São Paulo: Cia. Editora Nacional, 1939.

ADORNO, T. *Educação e emancipação*. Rio de Janeiro: Paz e Terra, 1971.

COSTA, N.C.A. *Ensaios sobre os fundamentos da lógica*. São Paulo: Edusp, 1975.

CHAUÍ, M. *Convite à filosofia*. São Paulo: Editora Ática, 2000.

CURY, A. *Inteligência multifocal*. São Paulo: Cultrix, 1999.

_____. *O mestre dos mestres*. São Paulo: Academia de Inteligência, 2000.

_____. *Pais brilhantes, professores fascinantes*. Rio de Janeiro: Sextante, 2003.

_____. *12 semanas para mudar uma vida*. São Paulo: Academia de Inteligência, 2004.

FREIRE, P. *Pedagogia dos sonhos possíveis*. São Paulo: Unesp, 2005.

DUARTE, A. "A dimensão política da filosofia kantiana segundo Hannah Arendt". In: ARENDT, H. *Lições sobre a filosofia política de Kant*. Rio de Janeiro: Relume Dumará, 1993.

DESCARTES, R. *O discurso do método*. Brasília: Editora da Universidade de Brasília, 1981.

FEUERSTEIN, R. *Instrumental Enrichment – An Intervention Program for Cognitive Modificability*. Baltimore: University Park Press, 1980.

FOUCAULT, M. *A doença e a existência*. Rio de Janeiro: Folha Carioca, 1998.

FREUD, S. *Obras completas*. Madrid: Editorial Biblioteca Nueva, 1972.

FRANKL, V.E. *A questão do sentido em psicoterapia*. Campinas: Papirus, 1990.

FROMM, E. *Análise do homem*. Rio de Janeiro: Zahar, 1960.

GARDNER, H. *Inteligências múltiplas: a teoria e a prática*. Porto Alegre: Artes Médicas, 1994.

GOLEMAN, D. *Inteligência emocional*. Rio de Janeiro: Objetiva, 1995.

HALL, L. *Teorias da personalidade*. São Paulo: EPU, 1973.

HEIDEGGER, M. *Conferências e escritos filosóficos*. Coleção Os Pensadores. São Paulo: Abril Cultural, 1989.

HUSSERL, L.E. *La filosofía como ciencia estricta*. Buenos Aires: Editorial Nova, 1980.

JUNG, C.G. *O desenvolvimento da personalidade*. Petrópolis: Vozes, 1961.

KAPLAN, H.I., SADOCK, B.J., GREBB, J.A. *Compêndio de psiquiatria: ciência do comportamento e psiquiatria clínica*. Porto Alegre: Artes Médicas, 1997.

KIERKEGAARD, S.A. *Diário de um sedutor e outras obras*. Coleção Os Pensadores. São Paulo: Abril Cultural, 1989.

LIPMAN, M. *O pensar na educação*. Petrópolis: Vozes, 1995.

MASTEN, A.S. *Ordinary Magic: Resilience Processes in Development*. American Psychologist, 56(3), 2001.

_____ & GARMEZY, N. "Risk,Vulnerability and Protective Factors in Developmental Psychopathology". In: LAHEY, B.B. & KAZDIN, A.E. *Advances in clinical child psychology 8*. New York: Plenum Press, 1985.

MUCHAIL, S.T. *Heidegger e os pré-socráticos*. In: Centro de Estudos Fenomenológicos de São Paulo – *Temas fundamentais de fenomenologia*, São Paulo: Moraes, 1984.

MORIN, E. *O homem e a morte*. Rio de Janeiro: Imago, 1997.

_____. *Os sete saberes necessários à educação do futuro*. (Relatório feito a pedido da Unesco). São Paulo: Cortez/Unesco, 2000.

NACHMANOVITCH, S. *Ser criativo – O poder da improvisação na vida e na arte*, Summus: São Paulo, 1993.

PIAGET, J. *Biologia e conhecimento*. 2ª ed. Petrópolis: Vozes, 1996.

PINKER, S. *Como funciona la mente*. Buenos Aires: Planeta, 2001.

SARTRE, J.P. *O ser e o nada – Ensaio de ontologia fenomenológica*. Petrópolis: Vozes, 1997.

STEINER, C. *Educação emocional*. 2ª ed. Rio de Janeiro: Objetiva, 1997.

STERNBERG, R.J. *Mas allá del cociente intelectual*. Bilbao: Editorial Desclee de Brouwer, 1990.

YUNES, M.A.M. *A questão triplamente controvertida da resiliência em famílias de baixa renda*. Tese de doutorado, Pontifícia Universidade Católica de São Paulo, São Paulo, 2001.

_____ & SZYMANSKI, H. "Resiliência: noção, conceitos afins e considerações críticas". In: TAVARES, J. (Org.) *Resiliência e educação*. São Paulo: Cortez, 2001.

Escola da Inteligência

O Instituto Academia de Inteligência convida diretores de escolas, coordenadores pedagógicos, professores e pais para conhecerem o programa Escola da Inteligência elaborado pelo Dr. Augusto Cury há mais de dez anos. Nobres objetivos permeiam esse projeto:

a) Estimular as funções mais importantes da inteligência dos alunos: pensar antes de reagir, colocar-se no lugar dos outros, trabalhar perdas e frustrações, libertar a criatividade, proteger a emoção, gerenciar pensamentos, desenvolver a consciência crítica, elaborar sonhos e projetos de vida, adquirir resiliência às intempéries sociais.
b) Estimular o treinamento do caráter: perseverança, honestidade, espírito empreendedor, debate de ideias, disciplina, liderança, capacidade de recomeçar, educação para o trânsito e para o consumo.
c) Fornecer ferramentas para prevenir transtornos psíquicos, como insegurança, fobia, ansiedade, agressividade, complexo de inferioridade, sentimento de culpa, falta de transparência, uso de drogas.
d) Enriquecer as relações interpessoais por meio de diálogo, educação para a paz, crítica contra a discriminação, tolerância, altruísmo, compaixão, solidariedade.

O projeto é enriquecido por material de apoio pedagógico, treinamento de professores-facilitadores e acompanhamento. Apesar de sua profundidade, encanta alunos e professores com uma aplicação pedagógica simples e instigante. Deve ser inserido na grade curricular com uma aula semanal. A Escola da Inteligência é talvez um dos poucos projetos cuja meta é preparar os alunos para serem pensadores e não repetidores de ideias, educando-os para enfrentar os desafios da vida e equipando-os para serem autores da sua própria história.

Para mais informações entre nos sites www.escoladainteligencia.com.br e www.portaldainteligencia.com.br ou envie um e-mail para contato@escoladainteligencia.com.br.

CONHEÇA OS TÍTULOS DE AUGUSTO CURY:

FICÇÃO
Coleção *O homem mais inteligente da história*
O homem mais inteligente da história
O homem mais feliz da história
O maior líder da história
O médico da emoção

O futuro da humanidade
A ditadura da beleza e a revolução das mulheres
Armadilhas da mente

NÃO FICÇÃO
Coleção *Análise da inteligência de Jesus Cristo*
O Mestre dos Mestres
O Mestre da Sensibilidade
O Mestre da Vida
O Mestre do Amor
O Mestre Inesquecível

Nunca desista de seus sonhos
Você é insubstituível
O código da inteligência
Os segredos do Pai-Nosso
A sabedoria nossa de cada dia
Revolucione sua qualidade de vida
Pais brilhantes, professores fascinantes
Inteligência socioemocional
Dez leis para ser feliz
Seja líder de si mesmo
Gerencie suas emoções

CONHEÇA ALGUNS DESTAQUES DE NOSSO CATÁLOGO

- Augusto Cury: Você é insubstituível (2,8 milhões de livros vendidos), Nunca desista de seus sonhos (2,7 milhões de livros vendidos) e O médico da emoção
- Dale Carnegie: Como fazer amigos e influenciar pessoas (16 milhões de livros vendidos) e Como evitar preocupações e começar a viver
- Brené Brown: A coragem de ser imperfeito – Como aceitar a própria vulnerabilidade e vencer a vergonha (600 mil livros vendidos)
- T. Harv Eker: Os segredos da mente milionária (2 milhões de livros vendidos)
- Gustavo Cerbasi: Casais inteligentes enriquecem juntos (1,2 milhão de livros vendidos) e Como organizar sua vida financeira
- Greg McKeown: Essencialismo – A disciplinada busca por menos (400 mil livros vendidos) e Sem esforço – Torne mais fácil o que é mais importante
- Haemin Sunim: As coisas que você só vê quando desacelera (450 mil livros vendidos) e Amor pelas coisas imperfeitas
- Ana Claudia Quintana Arantes: A morte é um dia que vale a pena viver (400 mil livros vendidos) e Pra vida toda valer a pena viver
- Ichiro Kishimi e Fumitake Koga: A coragem de não agradar – Como se libertar da opinião dos outros (200 mil livros vendidos)
- Simon Sinek: Comece pelo porquê (200 mil livros vendidos) e O jogo infinito
- Robert B. Cialdini: As armas da persuasão (350 mil livros vendidos)
- Eckhart Tolle: O poder do agora (1,2 milhão de livros vendidos)
- Edith Eva Eger: A bailarina de Auschwitz (600 mil livros vendidos)
- Cristina Núñez Pereira e Rafael R. Valcárcel: Emocionário – Um guia lúdico para lidar com as emoções (800 mil livros vendidos)
- Nizan Guanaes e Arthur Guerra: Você aguenta ser feliz? – Como cuidar da saúde mental e física para ter qualidade de vida
- Suhas Kshirsagar: Mude seus horários, mude sua vida – Como usar o relógio biológico para perder peso, reduzir o estresse e ter mais saúde e energia

sextante.com.br